SELECTED POEMS OF OCTAVIO PAZ

A bilingual edition

with translations by

MURIEL RUKEYSER

SELECTED POEMS
OF
OCTAVIO PAZ

INDIANA **UNIVERSITY** **PRESS**

BLOOMINGTON 1 9 6 3

UNESCO COLLECTION OF CONTEMPORARY WORKS

This work, with the agreement of the Mexican National Commission for Unesco, has been accepted in the Unesco Collection of Translations of Contemporary Works—Latin-American Series, sponsored by the United Nations Educational, Scientific and Cultural Organization (UNESCO).

Grateful acknowledgment is made to the Fondo de Cultura Economica for permission to reprint the Spanish text of these poems from the volume *Libertad bajo palabra: obra poetica* by Octavio Paz (México, D.F., 1960).

Contents

from Á LA ORILLA DEL MUNDO

from LA ESTACIÓN VIOLENTA

The original Spanish version of each poem appears on the page facing the translation.

Foreword

IN COMING to the poems of the young Octavio Paz, I found that voice of the meeting-place for which many of us were looking in those years. Meeting-place of fever and the cold eye, in a passion which could hold together with his own arms the flying apart of his own time. He claimed it, its past and the moment that held it with its own arms, the present. They were lyrics he brought to me, cut as if with an adze; and I began to translate.

In his early lyrics, with their speed, their transparencies, their couples lying together, all couples, all opposites, there was a chance for the reader to see what was flashing out of Mexico in this young poet. He glittered in his airs and silences, his sudden strokes:

> Our bones are lightning
> in the night of the flesh.
> O world, all is night,
> life is the lightning.

These were in a book called *Condición de nube;* and now I was double reader, for I was beginning to translate, and what is that title? It is like bringing over the French term *réalité.* What is that *condición,* that reminds us of the human condition? The word *level* has been turned into sheer shaking naught, in our language; *phase* is closer, and expressed what Paz was beginning to express, the sense of transformation which I have been valuing in my writing, in all writing.

It meant very much to me to begin to bring over the poems he had shown me, in Berkeley, in 1944. But it was only the beginning of a long involvement with this work, which for me has opened and changed and sometimes shut altogether, never to go on, it appeared then; and after that has itself transformed, transforming me, as any work transforms the doer, but as great work deeply transforms all it touches.

Perhaps recounting the stages of accomplishing this book will tell you something of the nature of this poet.

By the time I had published the first group of translations and come to the next poems—poems that ranged much farther, that grew and went deep into the inner life and the old life, Nahuatl as well as Mexican—I was going back over the translations, seeing where I had stumbled in bringing them over into English. I wanted them to come through, as they could, in poetry for this language. This second group out of *Semillas para un himno,* went beyond what M. L. Rosenthal has called Paz's "literal statement of consciousness, very delicate and exact" which spoke from his early poetry. Here he is the master; he is engaged in his task.

"He has come to his task," J. M. Cohen writes of Paz in *Poetry of this Age* (London: Grey Arrow, 1959), "by way of a persistent questioning of all reality." The questioning leads him again to phases, to transformations, in which land approaches the state of sculpture,

> The naked forehead of the world is raised
> Rock smoothed and polished to cut a poem on
> Display of light that opens its fan of names
> Here is the seed of a singing like a tree

and this world opens its burning men and women. In another poem, "In her splendor islanded,"

> She is lake-water in April as she lies
> In her depths binding poplar and eucalyptus
> Fishes or stars burning between her thighs
> Shadows of birds scarcely hiding her sex

Octavio Paz had come, before this time, out of his student frenzy, out of the fighting grief, the grief buried of the civil war in Spain, which gave him his "Elegy for a friend," and to the great world of these transformed, the world in which he has always lived, moving in transformation among the inner life and the life of the interchange of people in politics and communication. In the posts in the Mexican diplomatic service, in the United Nations, in the embassies in Paris and in New Delhi —where he now is—he moves as the poet who has spoken as much as anyone of his time for the assertion of hope and the assertion of despair, in a war to the death of both, in a war that will kill all images and then, with a movement that is of necessity religious, transform all images.

"Paz seems to have set out in search of the most desperate experience in order to emerge from it with at least a grain of hope," says Ramon Xirau, the Mexican whose writing about Paz is brilliant and in deepest sympathy: Paz and Xirau draw strength from the same sources.

As translator I was compelled to these sources: pain as speech, trust in the ancient—not as sacrifice, but as trust, to cut out one's heart in order to feed the sun, to face the cycle because you know it is the only way through and *it turns,* it is you who are brought through. As you are in coming to a work of art, your own or another's whose images you go deeper and deeper with; you know that however you emerge, it will be with different desires.

I came then to *Piedra de Sol,* the long marvelous poem of the changes for which the Sun Stone, the Mexican Calendar Stone, stands. It is really an anima poem in the Jungian sense, going through the changes of the world as woman and opposite; it goes to the root of experience in the instant, by declaring the eternal there; in love, by declaring the Other there; in experience, by finding the Otherwise there; and meeting the self absorbed, the world absorbed, at every place in the dance. The poem of these changes has been published separately, but here, in Octavio Paz's own choice for his *Selected Poems,* the reader can follow the same journey. It is the journey of the poet, the

fountain which is the poet split open, and which sings for all.

The work of translation has taken me, then, from the piercing early lyrics through the poems of a first-rate poet at the height of his power, a world-poet raining music and experience upon all who will come to these poems.

He moved, says J. M. Cohen, in the same book, "towards participation, but was driven back into solitude by lack of belief in his own existence,

> sobrecogio a mi espiritu una livida certidumbre:
> habia muerto el sol y una eterna noche amenecia.

Against this despair only one force could be set, the moment of experience outside time, which is the subject of Eliot's *Four Quartets*. . . . Yet the experience itself never took clear shape; or rather many experiences masqueraded as the true one; vision and hallucination remained indistinguishable, and Freud, the Marquis de Sade, Rimbaud, André Breton and the Masters of Zen Buddhism were all accepted on a par as prophets of the new certainty that could be born out of utter negation."

You have the poems here that mark the journey. "The Prisoner" speaks for this place; "Poetry" describes the unreality, the situation itself. And here the poem is the hero, declaring and proving to the poet that he too exists, since the poem exists.

Paz has attempted, with his own voice, with the reach of his arms, to make the reconciliation among the opposites; where Aleixandre, who is seen by Cohen as parallel to Paz, moves "in a direct line from solitude to participation, Paz, in three most important poems, sets out to reconcile the two opposites, solitude and utterance." Two of the three poems are in this book: "Himno entre ruinas" and "Semillas para un himno"; the third, "Piedra de Sol," is the last poem in *La estación violenta,* and Octavio Paz has chosen to include the entire rest of the book here.

The movement onward in these poems was of great importance to me as translator, and *translator* is only a degree of

reader. I broke during this part of the work, as the difficulties seemed beyond any chance of meeting. You will see innumerable places where the traces of my attempt to move from this poetry toward an English poem have left wounds, scars where we need healing. Sometimes I moved the names of trees; sometimes I made mistakes in my frenzy and ignorance, and was helped by others; sometimes a line like

Una espiga es todo el trigo

refused to come over in any sound at all; sometimes I saw the lovers as giving kisses, when the Spanish *cambian* needed a term of trade. When you find these, and have better suggestions, give them to me. In the meantime, other poets have reached Paz. He is a world-poet, and he will come through in our lifetime, I think. There are fine translations by Denise Levertov, Paul Blackburn, Lysander Kemp, and there must be others that I have not heard. I hope eventually to make an edition in English, with the work of several hands, that will stand as a *Collected Poems,* or perhaps as *Collected Works,* as the essays, the play, and the translations from Basho appear.

The last book is an amazing achievement. Cohen writes, "With the exception of T. S. Eliot, Octavio Paz is the only contemporary poet capable of feeling his metaphysics, and calling them to life." From the concise poems in *Piedras Sueltas*—which I have translated as *Riprap*—to *The Violent Season,* the leap from the single image to the flow of the world can be felt.

A word about "riprap." I knew the word as a little girl whose father was engaged in the building of New York; I remember a time in class when I was asked what "grit" was (I think the answer "courage" may have been expected) and I answered "Number Four gravel." I had a paper returned for its too-esoteric fancy when I referred perfectly realistically to an orange-peel crane. But I bow here in the direction of Gary Snyder, who has called a book of his poems *Riprap.*

Octavio Paz has offered himself; this is what David Palmer is prefiguring when he says, "It is as if the author himself were

a complex image." There was this feeling during the reading given by Paz in New York, when his quiet, murderous, inflammatory, seductive voice struck home to an audience hearing these poems for the first time. Then one could see what was happening.

As you can see it in this book, for his poems are here. The translator must be exposed to this extent; fully, that is. And the implications of the poems go deep, deep into the reader as witness, speaking for oneself as Paz speaks for himself, his land, his people. Carlos Fuentes, in a letter to me, says of "El cantaro roto," which burst upon Mexico in a wild stormy reception, "I think that in this poem, Paz really creates the final, most lucid expression of Mexican tragedy: the country that dreams itself in the light, and lives itself in the dust and the thorns."

The poetry of Octavio Paz is now recognized in the Hispanic world and is finding its poets and all its readers in other countries: France, Germany, Sweden, and now the United States. It has taken me a deep journey, and now its cycle finds again another beginning.

MURIEL RUKEYSER

Acknowledgment

MY THANKS to Octavio Paz, for his many times of help and en-
couragement with the translation, and for the poems, which
have meant very much reality to me in the reading and in the
work with them; to Rizel Pincus, who went over my next-to-last
drafts for correctness, with skill and poetry in her corrections (so
that I often made many last drafts); to Elizabeth Hall, of the
Bronx Botanical Gardens, for her help with *pirú*; to the Bol-
lingen Foundation, for a translation grant to help with, in their
phrase, "two hundred lines"; and to Monica McCall, who with
the affection of a friend and an agent, kept reminding me that
the manuscript was due, due, and overdue.

Several passages from this translation were published in mag-
azines including *Poetry, Chelsea Review, The Nation;* in books,
my *The Green Wave* and *Body of Waking* and Angel Flores'
anthologies. Many of these poems have been read, by Octavio
Paz, William Meredith, Paul Blackburn, myself, and others, at
poetry centers, colleges, coffee houses, and broadcasts.

M. R.

SELECTED POEMS OF OCTAVIO PAZ

de LIBERTAD BAJO PALABRA

Prólogo

Allá, donde terminan las fronteras, los caminos se borran. Donde se empieza el silencio. Avanzo lentamente y pueblo la noche de estrellas, de palabras, de la respiración de un agua remota que me espera donde comienza el alba.

Invento la víspera, la noche, el día siguiente que se levanta en su lecho de piedra y recorre con ojos límpidos un mundo penosamente soñado. Sostengo al árbol, a la nube, a la roca, al mar, presentimiento de dicha, invenciones que desfallecen y vacilan frente a la luz que disgrega.

Y luego la sierra árida, el caserío de adobe, la minuciosa realidad de un charco y un pirú estólido, de unos niños idiotas que me apedrean, de un pueblo rencoroso que me señala. Invento el terror, la esperanza, el mediodía—padre de los delirios solares, de las falacias espejeantes, de las mujeres que castran a sus amantes de una hora.

Invento la quemadura y el aullido, la masturbación en las letrinas, las visiones en el muladar, la prisión, el piojo y el chancro, la pelea por la sopa, la delación, los animales viscosos, los contactos innobles, los interrogatorios nocturnos, el examen de conciencia, el juez, la víctima, el testigo. Tú eres esos tres. ¿A quién apelar ahora y con qué argucias destruir al que te acusa?

from FREEDOM AND THE WORD

Prologue

Out there, where the frontiers end, roads are erased. Where silence begins. I go forward slowly and I people the night with stars, with speech, with the breathing of distant water waiting for me where the dawn appears.

I invent evening, night, the next day rising from its bed of stone, the clear eyes of that day running across a world painfully dreamt. I sustain tree, cloud, rock, sea, the joy foreseen, inventions that vanish and hesitate before the light dispersed.

After that, the arid mountain, the adobe village, acute small reality of a puddle and one stolid peppertree, of some idiot children who stone me, a rancorous people which denounces me. I invent terror, hope, noon—father of solar frenzy, of glittering fallacies, of women who castrate their men of the hour.

I invent the burn and the howl, masturbation in latrines, visions in a dunghill, prison, lice, the chancre, the riot for soup, informers, viscous animals, low connections, interrogations at night, the inquiry into conscience, the judge, the victim, the witness. You are all three of them. To whom will you appeal now and with what sophistries will you annihilate the accuser? Petitions, appeals, allegations, all useless. Useless to knock on condemned doors. They are not doors, but mirrors. Useless to

Inútiles los memoriales, los ayes y los alegatos. Inútil tocar a puertas condenadas. No hay puertas, hay espejos. Inútil cerrar los ojos o volver entre los hombres: esta lucidez ya no me abandona. Romperé los espejos, haré trizas mi imagen—que cada mañana rehace piadosamente mi cómplice, mi delator—. La soledad de la conciencia y la conciencia de la soledad, el día a pan y agua, la noche sin agua. Sequía, campo arrasado por un sol sin párpados, ojo atroz, oh conciencia, presente puro donde pasado y porvenir arden sin fulgor ni esperanza. Todo desemboca en esta eternidad que no desemboca.

Allá, donde los caminos se borran, donde acaba el silencio, invento la desesperación, la mente que me concibe, la mano que me dibuja, el ojo que me descubre. Invento al amigo que me inventa, mi semejante; y a la mujer, mi contrario: torre que corono de banderas, muralla que escalan mis espumas, ciudad devastada que renace lentamente bajo la dominación de mis ojos.

Contra el silencio y el bullicio invento la Palabra, libertad que se inventa y me inventa cada día.

close one's eyes or to go back among men: this lucidity will never leave me. I will smash the mirrors, shatter my image to fragments—that each morning, mercifully, my accomplice, my accuser, himself recreates. —Solitude of consciousness and consciousness of solitude, day with its bread and water, night without water. Aridity, the country ravaged by a lidless sun, a frightful eye, oh consciousness, pure present where past and future burn with neither brilliance nor hope. Everything leads into this eternity which leads nowhere.

Out there, where the roads are erased, where silence ends, I invent despair, the mind that conceived me, the hand that designed me, the eye that discovered me. I invent the friend who invented me, my semblant; and woman, my contrary: tower crowned by me with banners, wall that my surf climbs, ruined city slowly reborn under the domination of my eyes.

Against silence and noise I invent the Word, freedom that invents itself and invents me every day.

de CONDICIÓN DE NUBE

El pájaro

Un silencio de aire, luz y cielo.
En el silencio transparente
el día reposaba:
la transparencia del espacio
era la transparencia del silencio.
La inmóvil luz del cielo sosegaba
el crecimiento de las yerbas.
Los bichos de la tierra, entre las piedras,
bajo una luz idéntica, eran piedras.
El tiempo en el minuto se saciaba.
En la quietud absorta
se consumaba el mediodía.

Y un pájaro cantó, delgada flecha.
Pecho de plata herido vibró el cielo,
se movieron las hojas,
las yerbas despertaron . . .
Y sentí que la muerte era una flecha
que no se sabe quién dispara
y en un abrir los ojos nos morimos.

The Bird

A silence of air, light, and sky.
In this transparent silence
day was resting:
the transparency of space
was silence's transparency.
Motionless light of the sky was soothing
the growth of the grass.
Small things of earth, among the stones,
under identical light, were stones.
Time sated itself in the minute.
And in an absorbed stillness
noonday consumed itself.

And a bird sang, slender arrow.
The sky shivered a wounded silver breast,
the leaves moved,
and grass awoke.
And I knew that death was an arrow
let fly from an unknown hand
and in the flicker of an eye we die.

Destino del poeta

¿Palabras? Sí, de aire,
y en el aire perdidas.
Déjame que me pierda entre palabras,
déjame ser el aire en unos labios,
un soplo vagabundo sin contornos,
breve aroma que el aire desvanece.

También la luz en sí misma se pierde.

Los novios

Tendidos en la yerba
una muchacha y un muchacho.
Comen naranjas, cambian besos
como las olas cambian sus espumas.

Tendidos en la playa
una muchacha y un muchacho.
Comen limones, cambian besos
como las nubes cambian sus espumas.

Tendidos bajo tierra
una muchacha y un muchacho.
No dicen nada, no se besan,
cambian silencio por silencio.

Life of the Poet

Words? Yes, made of air,
and in the air dissolved.
Let me lose myself among words,
let me become the air on living lips,
a breath that goes wandering without barriers,
scent of a moment in the air diffused.

Even so light in itself is lost.

Engaged

Stretched out on the grass
a boy and a girl.
Sucking their oranges, giving their kisses
like waves exchanging foam.

Stretched out on the beach
a boy and a girl.
Sucking their limes, giving their kisses,
like clouds exchanging foam.

Stretched out underground
a boy and a girl.
Saying nothing, never kissing,
giving silence for silence.

Dos cuerpos

Dos cuerpos frente a frente
son a veces dos olas
y la noche es océano.

Dos cuerpos frente a frente
son a veces dos piedras
y la noche desierto.

Dos cuerpos frente a frente
son a veces raíces
en la noche enlazadas.

Dos cuerpos frente a frente
son a veces navajas
y la noche relámpago.

Dos cuerpos frente a frente
son dos astros que caen
en un cielo vacío.

Vida entrevista

Relámpagos o peces
en la noche del mar
y pájaros, relámpagos
en la noche del bosque.

Los huesos son relámpagos
en la noche del cuerpo.
Oh mundo, todo es noche
y la vida es relámpago.

Two Bodies

Two bodies face to face
are at times two waves
and night is an ocean.

Two bodies face to face
are at times two stones
and night a desert.

Two bodies face to face
are at times two roots
laced into night.

Two bodies face to face
are at times two knives
and night strikes sparks.

Two bodies face to face
are two stars falling
in an empty sky.

Live Interval

Lightning or fishes
in the night of the sea
and birds, lightning
in the forest night.

Our bones are lightning
in the night of the flesh.
O world, all is night,
life is the lightning.

Misterio

Relumbra el aire, relumbra,
el mediodía relumbra,
pero no veo al sol.

Y de presencia en presencia
todo se me transparenta,
pero no veo al sol.

Perdido en las transparencias
voy de reflejo a fulgor,
pero no veo al sol.

Y él en la luz se desnuda
y a cada esplendor pregunta,
pero no ve al sol.

Epitafio para un poeta

Quiso cantar, cantar
para olvidar
su vida verdadera de mentiras
y recordar
su mentirosa vida de verdades.

Mystery

Glittering of air, it glitters,
noon glitters here
but I see no sun.

And from seeming to seeming
all is transparent,
but I see no sun.

Lost in transparencies
I move from reflection to blaze
but I see no sun.

The sun also is naked in the light
asking questions of every splendor,
but he sees no sun.

Poet's Epitaph

He tried to sing, singing
not to remember
his true life of lies
and to remember
his lying life of truths.

de EL GIRASOL

Salvas

Torre de muros de ámbar,
solitario laurel en una plaza de piedra,
golfo imprevisto,
sonrisa en un oscuro pasillo,
andar de río que fluye entre palacios,
dulce cometa que me ciega y se aleja . . .

Puente bajo cuyos arcos corre siempre la vida.

Tus ojos

Tus ojos son la patria del relámpago y de la lágrima,
silencio que habla,
tempestades sin viento, mar sin olas,
pájaros presos, doradas fieras adormecidas,
topacios impíos como la verdad,
otoño en un claro bosque en donde la luz canta en el
      hombro de un árbol y son pájaros todas las hojas,
playa que la mañana encuentra constelada de ojos,

Salvas

Tower whose walls are amber,
a single laurel in a street of stone,
gulf unforeseen,
smile in a corridor of shadows,
movement of a river flowing past palaces,
comet of sweetness that blinds me and vanishes.

Bridge through whose arches endlessly races life.

Your Eyes

Your eyes are the land of lightning and the tear,
silence that speaks,
hurricanes without wind, sea without waves,
trapped birds, sleepy golden beasts,
dazzle of topaz shocking as the truth,
autumn in a clearing of the woods where light sings on
    the shoulder of a tree whose leaves are birds,
beach that morning discovers starred with springs,

cesta de frutos de fuego,
mentira que alimenta,
espejos de este mundo, puertas del más allá,
pulsación tranquila del mar a mediodía,
absoluto que parpadea,
páramo.

Agua nocturna

La noche de ojos de caballo que tiemblan en la noche,
la noche de ojos de agua en el campo dormido,
está en tus ojos de caballo que tiembla,
está en tus ojos de agua secreta.

Ojos de agua de sombra,
ojos de agua de pozo,
ojos de agua de sueño.

El silencio y la soledad,
como dos pequeños animales a quienes guía la luna,
beben en esos ojos,
beben en esas aguas.

Si abres los ojos,
se abre la noche de puertas de musgo,
se abre el reino secreto del agua
que mana del centro de la noche.

Y si los cierras,
un río, una corriente dulce y silenciosa,
te inunda por dentro, avanza, te hace oscura:
la noche moja riberas en tu alma.

basket of fruits of fire,
a lie that nourishes,
mirrors of this world, doors to the beyond,
the easy heartbeat of the sea at noon,
the absolute, quivering,
cold uplands.

Water Night

Night with the eyes of a horse that trembles in the night,
night with eyes of water in the field asleep
is in your eyes, a horse that trembles,
is in your eyes of secret water.

Eyes of shadow-water,
eyes of well-water,
eyes of dream-water.

Silence and solitude,
two little animals moon-led,
drink in your eyes,
drink in those waters.

If you open your eyes,
night opens, doors of musk,
the secret kingdom of the water opens
flowing from the center of the night.

And if you close your eyes,
a river, a silent and lovely current
fills you from within, flows forward and darkens you:
night brings its wetness to beaches in your soul.

Relámpago en reposo

Tendida,
piedra hecha de mediodía,
ojos entrecerrados donde el blanco azulea,
entornada sonrisa.
Te incorporas a medias y sacudes tu melena de león.
Luego te tiendes,
delgada estría de lava en la roca,
rayo dormido.
Mientras duermes te acaricio y te pulo,
hacha esbelta,
flecha con que incendio la noche.

El mar combate allá lejos con espadas y plumas.

Escrito con tinta verde

La tinta verde crea jardines, selvas, prados,
follajes donde cantan las letras,
palabras que son árboles,
frases que son verdes constelaciones.

Deja que mis palabras, oh blanca, desciendan y te cubran
como una lluvia de hojas a un campo de nieve,
como la yedra a la estatua,
como la tinta a esta página.

Brazos, cintura, cuello, senos,
la frente pura como el mar,
la nuca de bosque en otoño,
los dientes que muerden una brizna de yerba.

Lightning at Rest

Stretched out,
stone made of noon,
half-open eyes whose whiteness turns to blue,
half-ready smile.
Your body rouses, you shake your lion's mane.
Again lying down,
a fine striation of lava in the rock,
a sleeping ray of light.
And while you sleep I stroke you, I polish you,
slim axe,
arrow with whom I set the night on fire.

The sea fighting far off with its swords and feathers.

Written in Green Ink

Green ink makes gardens, forest, fields,
trees full of leaves where letters sing,
words that are trees,
phrases appearing as green constellations.

Permit my words' descent cover your whiteness
like a rain of leaves on a field of snow,
like ivy on the statue,
ink on this page.

Arms, waist, throat, breasts,
forehead pure as the sea,
nape of your neck, a grove in October,
teeth biting a thread of grass.

Tu cuerpo se constela de signos verdes
como el cuerpo del árbol de renuevos.
No te importe tanta pequeña cicatriz luminosa:
mira al cielo y su verde tatuaje de estrellas.

Visitas

A través de la noche urbana de piedra y sequía
entra el campo a mi cuarto.
Alarga brazos verdes con pulseras de pájaros,
con pulseras de hojas.
Lleva un río de la mano.
El cielo del campo también entra,
con su cesta de joyas acabadas de cortar.
Y el mar se sienta junto a mí,
extendiendo su cola blanquísima en el suelo.
Del silencio brota un árbol de música.
Del árbol cuelgan todas las palabras hermosas,
que brillan, maduran, caen.
En mi frente, cueva que habita un relámpago . . .
Pero todo se ha poblado de alas.
Dime, ¿es de veras el campo que viene de tan lejos
o eres tú, son los sueños que sueñas a mi lado?

Olvido

Cierra los ojos y a oscuras piérdete
bajo el follaje rojo de tus párpados.

Húndete en esas espirales
del sonido que zumba y cae
y suena allá, remoto,

Your body is constellated in green images
like a tree's body, covered with green shoots.
Never mind the scar, little and luminous:
look up at the sky and its green tattoo of stars.

Visits

Across the city night of stone and drought
the country comes into my room.
It reaches out green arms whose bracelets are birds
whose bracelets are leaves.
Takes by the hand a river.
The sky of the country comes in too
with his basket of jewels freshly-gathered.
And the ocean coming to rest where I am
spreads the most white of trains across the floor.
Now out of silence raised, a tree of music.
From the tree growing all the lovely words
that take on color, ripen, fall.
Within my forehead the cave where light has a source . . .
But all peopled with wings.
Tell me, is it really the country coming from so far,
or is it you, these dreams which you dream beside me?

Forgotten

Close your eyes and lose yourself in shadows
under the shadows of your eyelids' red-leaf forest.

Go down among those spirals
of sound humming and falling
and sounding faraway, remote,

hacia el sitio del tímpano,
como una catarata ensordecida.

Hunde tu ser a oscuras,
anégate en tu piel,
y más, en tus entrañas;
que te deslumbre y ciegue
el hueso, lívida centella,
y entre simas y golfos de tiniebla
abra su azul penacho el fuego fatuo.

En esa sombra líquida del sueño
moja tu desnudez;
abandona tu forma, espuma
que no se sabe quién dejó en la orilla;
piérdete en ti, infinita,
en tu infinito ser,
mar que se pierde en otro mar:
olvídate y olvídame.

En ese olvido sin edad ni fondo
labios, besos, amor, todo, renace:
las estrellas son hijas de la noche.

Más allá del amor

Todo nos amenaza:
el tiempo, que en vivientes fragmentos divide
al que fui
            del que seré,
como el machete a la culebra;
la conciencia, la transparencia traspasada,
la mirada ciega de mirarse mirar;
las palabras, guantes grises, polvo mental sobre la yerba,
    el agua, la piel;

all the way to the eardrum,
a deafened waterfall.

Send your self down to the shadows,
drown yourself in your skin,
further, in your entrails:
let the bone, with its livid spark,
dazzle and blind you,
and among chasms and the gulfs of shadow
open its blue panache, will-o'-the-wisp.

And in this liquid shadow of the dream
now bathe your nakedness;
relinquish your form, your foam
(nobody knows who flung it on the shore);
lose yourself in your self, infinity
in your infinite being,
sea losing itself in another sea:
forget yourself and forget me.

In that forgetfulness ageless and endless
lips, kisses, love, all, born again:
the stars are daughters of the night.

Beyond Love

Everything threatens us:
time, that in living fragments severs
what I have been
from what I will become,
as the machete splits the snake;
conscience, transparency pierced through,
the sightless look of seeing oneself looking;
words, grey gloves, mental dust on the grass,
    water, skin;

nuestros nombres, que entre tú y yo se levantan,
murallas de vacío que ninguna trompeta derrumba.

Ni el sueño y su pueblo de imágenes rotas,
ni el delirio y su espuma profética,
ni el amor con sus dientes y uñas, nos bastan.
Más allá de nosotros,
en las fronteras del ser y el estar,
una vida más vida nos reclama.

Afuera la noche respira, se extiende,
llena de grandes hojas calientes,
de espejos que combaten:
frutos, garras, ojos, follajes,
espaldas que relucen,
cuerpos que se abren paso entre otros cuerpos.

Tiéndete aquí a la orilla de tanta espuma,
de tanta vida que se ignora y entrega:
tú también perteneces a la noche.
Extiéndete, blancura que respira,
late, oh estrella repartida,
copa,
pan que inclinas la balanza del lado de la aurora,
pausa de sangre entre este tiempo y otro sin medida.

our names, risen up between yourself and me,
walls of emptiness no trumpet can shout down.

Not dream, peopled with broken images,
no nor delirium in its prophetic foam,
nor love with its teeth and claws, are enough for us now.
Beyond ourselves,
on the frontier of being and becoming,
a life more alive claims us.

Outside, night breathes, and stretches,
full of its great warm leaves,
a war of mirrors:
fruit, talons, eyes, leafage,
backs that glisten,
bodies that make their way through other bodies.

Lie here stretched out on the shore of so much foam,
of so much life unconscious and surrendered:
you too belong to the night.
Lie down, stretch out, you are whiteness and breathing,
throb, star divided,
drink and glass,
bread that weighs down the scales on the side of daybreak,
pause of the blood between now and measureless time.

de SEMILLAS PARA UN HIMNO

El día abre la mano
Tres nubes
Y estas pocas palabras

Al alba busca su nombre lo naciente
Sobre los troncos soñolientos centellea la luz
Galopan las montañas a la orilla del mar
El sol entra en las aguas con espuelas
La piedra embiste y rompe claridades
El mar se obstina y crece al pie del horizonte
Tierra confusa inminencia de escultura
El mundo alza la frente aún desnuda
Piedra pulida y lisa para grabar un canto
La luz despliega su abanico de nombres
Hay un comienzo de himno como un árbol
Hay el viento y nombres hermosos en el viento

from SEEDS FOR A PSALM

The hand of day opens
Three clouds
And these few words

At daybreak the newborn goes looking for a name
Upon the sleep-filled bodies the light glitters
The mountains gallop to the shore of the sea
The sun with his spurs on is entering the waves
Stony attack shattering clarities
The sea resists   rearing to the horizon
Confusion of land approaching the state of sculpture
The naked forehead of the world is raised
Rock smoothed and polished to cut a poem on
Display of light that opens its fan of names
Here is the seed of a singing like a tree
Here are the wind and names beautiful in the wind

Fábula

Edades de fuego y de aire
Mocedades de agua
Del verde al amarillo
        Del amarillo al rojo
Del sueño a la vigilia
        Del deseo al acto
Sólo había un paso que tú dabas sin esfuerzo
Los insectos eran joyas animadas
El calor reposaba al borde del estanque
La lluvia era un sauce de pelo suelto
En la palma de tu mano crecía un árbol
Aquel árbol cantaba reía y profetizaba
Sus vaticinios cubrían de alas el espacio
Había milagros sencillos llamados pájaros
Todo era de todos
        Todos eran todo
Sólo había una palabra inmensa y sin revés
Palabra como un sol
Un día se rompió en fragmentos diminutos
Son las palabras del lenguaje que hablamos
Fragmentos que nunca se unirán
Espejos rotos donde el mundo se mira destrozado

Una mujer de movimientos de río
De transparentes ademanes de agua
Una muchacha de agua
Donde leer lo que pasa y no regresa
Un poco de agua donde los ojos beban
Donde los labios de un solo sorbo beban
El árbol la nube el relámpago
Yo mismo y la muchacha

Fable

The age of fire and the age of air
The youth of water springing
From green to yellow
                              Yellow to red
From dream to vigil
                              From desire to act
You needed only a step and that taken without effort
The insects then were jewels who were alive
The heat lay down to rest at the edge of the pool
Rain was the light hair of a willow-tree
There was a tree growing within your hand
And as it grew it sang   laughed   prophesied
It cast the spells that cover space with wings
There were the simple miracles called birds
Everything belonged to everyone
                              Everyone was everything
Only one word existed immense without opposite
A word like a sun
One day exploded into smallest fragments
They were the words of the language that we speak
They are the splintered mirrors where the world
                  can see itself   slaughtered

A woman whose movements are a river's
Transparent gesturing that water has
A girl made of water
Where may be read the irreversible present
A little water where the eyes may drink
The lips swallow in a long single drink
The tree   the cloud   the lamp
Myself and that girl

A la española el día entra pisando fuerte
Un rumor de hojas y pájaros avanza
Un presentimiento de mar o mujeres
El día zumba en mi frente como una idea fija
En la frente del mundo zumba tenaz el día
La luz corre por todas partes
Canta por las terrazas
Hace bailar las casas
Bajo las manos frescas de la yedra ligera
El muro se despierta y levanta sus torres
Y las piedras dejan caer sus vestiduras
Y el agua se desnuda y salta de su lecho
Más desnuda que el agua
Y la luz se desnuda y se mira en el agua
Más desnuda que un astro
Y el pan se abre y el vino se derrama
Y el día se derrama sobre el agua tendida
Ver oír tocar oler gustar pensar
Labios o tierra o viento entre veleros
Sabor del día que se desliza como música
Rumor de luz que lleva de la mano a una muchacha
Y la deja desnuda en el centro del día
Nadie sabe su nombre ni a qué vino
Como un poco de agua se tiende a mi costado
El sol se para un instante por mirarla
La luz se pierde entre sus piernas
La rodean mis miradas como agua
Y ella se baña en ellas más desnuda que el agua
Como la luz no tiene nombre propio
Como la luz cambia de forma con el día

Un día se pierde
En el cielo hecho de prisa
La luz no deja huellas en la nieve

Day enters stamping like a Spanish dancer
A rumor of leaves and birds flies forward
Presentiment of woman or of waves
Day buzzes in my head like an obsession
In the head of the world it buzzes obstinate day
Light races everywhere
Sings on the hillsides
Makes houses dance
Under the cool hands of the light ivy
The wall awakens and lifts up its towers
And the rocks let their clothes slip down
And water is laid bare and naked leaps
More naked from its bed than water is
And light is naked and sees itself in water
More naked than a star
And bread is broken and wine is poured
And day is poured over the outspread water
To see hear touch smell taste think
Lips or land or breeze between sailboats
Taste of day that moves along like music
Rumor of light that leads a girl by the hand
Leaving her naked at the core of day
Nobody knows her name or why she has come here
Like so much water she stretches out beside me
The sun stands still for a moment to stare at her
And light loses itself between her legs
As by water she is surrounded by my gaze
And in them bathes more naked than the water
Like light she has no name that is her own
Like light she changes form as the day changes

Day

A day is lost
In a sky suddenly there
Light leaves no footprints in the snow

Un día se pierde
Abrir y cerrar de puertas
La semilla del sol se abre sin ruido
Un día comienza
La niebla asciende la colina
Un hombre baja por el río
Los dos se encuentran en tus ojos
Y tú te pierdes en el día
Cantando en el follaje de la luz
Tañen campanas allá lejos
Cada llamada es una ola
Cada ola sepulta para siempre
Un gesto una palabra la luz contra la nube
Tú ríes y te peinas distraída
Un día comienza a tus pies
Pelo mano blancura no son nombres
Para este pelo esta mano esta blancura
Lo visible y palpable que está afuera
Lo que está adentro y sin nombre
A tientas se buscan en nosotros
Siguen la marcha del lenguaje
Cruzan el puente que les tiende esta imagen
Como la luz entre los dedos se deslizan
Como tú misma entre mis manos
Como tu mano entre mis manos se entrelazan
Un día comienza en mis palabras
Luz que madura hasta ser cuerpo
Hasta ser sombra de tu cuerpo luz de tu sombra
Malla de calor piel de tu luz
Un día comienza en tu boca
El día que se pierde en nuestros ojos
El día que se abre en nuestra noche

A day is lost
Opening and shutting of doors
The seed of the sun splits open soundlessly
A day begins
The fog goes up in the foothills
A man goes down to the river
They meet and are found in your eyes
And you lose yourself in day
Singing among the leaves of light
The bells making their music far away
Every call of theirs a wave
Every wave gone down for ever
One move one word light against cloud
You laugh and you do your hair not noticing
A day begins at your feet
Skin   hand   whiteness these are not names
For this skin this hand and this whiteness
The visible and palpable which is outside
That which is within and is nameless
By acts of touch they go searching in us
Following the turns that language made
Crossing the bridge this image strung from them
As light pouring itself among the fingers
As you yourself between my hands
As your hand interlaced within my hands
A day begins in my words
Light which goes ripening until it becomes flesh
Until it becomes shadow of your flesh light of your shadow
Armor of warmth skin of your light
A day begins in your mouth
Day which is lost in our eyes
Day which begins in our night

Piedra nativa

La luz devasta las alturas
Manadas de imperios en derrota
El ojo retrocede cercado de reflejos

Países vastos como el insomnio
Pedregales de hueso

Otoño sin confines
Alza la sed sus invisibles surtidores
Un último pirú predica en el desierto

Cierra los ojos y oye cantar la luz:
El mediodía anida en tu tímpano

Cierra los ojos y ábrelos:
No hay nadie ni siquiera tú mismo
Lo que no es piedra es luz

Refranes

Una espiga es todo el trigo
Una pluma un pájaro vivo y cantando
Un hombre de carne es un hombre de sueño
La verdad no se parte
El trueno proclama los hechos del relámpago
Una mujer soñada encarna siempre en una forma amada
El árbol dormido pronuncia verdes oráculos
El agua habla sin cesar y nunca se repite
En la balanza de unos párpados el sueño no pesa
En la balanza de una lengua que delira
Una lengua de mujer que dice sí a la vida
El ave del paraíso abre las alas

Native Stone

Light is laying waste the heavens
Droves of dominions in stampede
The eye retreats surrounded by mirrors

Landscapes enormous as insomnia
Stony ground of bone

Limitless autumn
Thirst lifts its invisible fountains
One last peppertree preaches in the desert

Close your eyes and hear the song of the light:
Noon takes shelter in your inner ear

Close your eyes and open them:
There is nobody not even yourself
Whatever is not stone is light

Proverbs

One sheaf of wheat is the whole wheat field
One feather is a bird alive and singing
A man of flesh is a man of dream
Truth is indivisible
One clap of thunder proclaims the acts of the lightning
One dreaming woman gives us the form of love forever
The sleeping tree speaks all green oracles
Water talks ceaseless never repeating a word
Judged against certain eyelids, sleep is nothing
Judged by a mouth, a tongue that is crying out
The tongue of a woman saying Yes to life
The bird of paradise opening his wings

Como la marejada verde de marzo en el campo
Entre los años de sequía te abres paso
Nuestras miradas se cruzan se entrelazan
Tejen un transparente vestido de fuego
Una yedra dorada que te cubre
Alta y desnuda sonríes como la catedral el día del
    incendio
Con el mismo gesto de la lluvia en el trópico lo has
    arrasado todo
Los días harapientos caen a nuestros pies
No hay nada sino dos seres desnudos y abrazados
Un surtidor en el centro de la pieza
Manantiales que duermen con los ojos abiertos
Jardines de agua flores de agua piedras preciosas de agua
Verdes monarquías

La noche de jade gira lentamente sobre sí misma

Aislada en su esplendor
La mujer brilla como una alhaja
Como un arma dormida y temible
Reposa la mujer en la noche
Como agua fresca con los ojos cerrados
A la sombra del árbol
Como una cascada detenida en mitad de su salto
Como el río de rápida cintura helado de pronto
Al pie de la gran roca sin facciones
Al pie de la montaña
Como el agua del estanque en verano reposa
En su fondo se enlazan álamos y eucaliptos
Astros o peces brillan entre sus piernas
La sombra de los pájaros apenas oscurece su sexo
Sus pechos son dos aldeas dormidas
Como una piedra blanca reposa la mujer
Como el agua lunar en un cráter extinto

Like the green surf of April in the fields
Between the years of drought you open a way
Now the looks of our eyes are met are laced together
They weave a transparent cloth out of this fire
Ivy of gold to cover you
Tall and naked you smile the cathedral the day of the fire
With the same gesture the rain makes in the tropics
    washing all away
The days in their rags fall down at our feet
There is nothing in the world but two beings naked
    embraced
A fountain in the middle of the room
Springs of origin sleeping with open eyes
Gardens of water flowers of water precious stones of
    water
Green sovereignties

The night of jade turns slowly upon itself

In her splendor islanded
This woman burning like a charm of jewels
A weapon sleeping and terrible
This woman lying within the night
Like clear water lying with closed eyes
In a tree's shadow
A waterfall halted halfway in its flight
A rapid narrow river suddenly frozen
At the foot of a great and seamless rock
At the foot of a mountain
She is lake-water in April as she lies
In her depths binding poplar and eucalyptus
Fishes or stars burning between her thighs
Shadow of birds scarcely hiding her sex
Her breasts are two sleeping villages
This woman lying here like a white stone
Like water on the moon in a dead crater

Nada se oye en la noche de musgo y arena
Sólo el lento brotar de estas palabras
A la orilla del agua a la orilla de un cuerpo
Pausado manantial
Oh transparente monumento
Donde el instante brilla y se repite
Y se abisma en sí mismo y nunca se consume

Semillas para un himno

Infrecuentes (pero también inmerecidas)
Instantáneas (pero es verdad que el tiempo no se mide
Hay instantes que estallan y son astros
Otros son un río detenido y unos árboles fijos
Otros son ese mismo río arrasando los mismos árboles)
Infrecuentes
            Instantáneas noticias favorables
Dos o tres nubes de cristal de roca
Horas altas como la marea
Estrépito de plumas blancas en el cielo nocturno
Islas en llamas en mitad del Pacífico
Mundos de imágenes suspendidos de un hilo de araña
Y entre todos la muchacha que avanza partiendo en dos las
    altas aguas
Como el sol la muchacha que se abre paso como la llama
    que avanza
Como el viento partiendo en dos la cortina de nubes
Bello velero femenino
Bello relámpago partiendo en dos al tiempo
Tus hombros tienen la marca de los dientes del amor
La noche polar arde
Infrecuentes
            Instantáneas noticias del mundo
(Cuando el mundo entreabre sus puertas y el ángel cabecea
    a la entrada del jardín)
Nunca merecidas

Not a sound in the night   of moss and sand
Only the slow budding of my words
At the shore of water   at the shore of flesh
Unhurried source
And clear memorial
Where the moment shines and repeats
Drowning itself in itself and never consumed

Seeds for a Psalm

Seldom (but nevertheless undeserved)
Sudden (but certainly time is not moderate
There are moments that explode and become stars,
Some are a river in check and a few unmoving trees
Some are that same river uprooting those same trees)
Seldom
       Sudden good news
Two or three clouds of rock-crystal
Hours tall as high tide
Crash of white plumes in the night sky
Islands in flames in mid-Pacific
Worlds made of images suspended from spiderweb
And in it all the girl who comes forward dividing the deep
    waters
Like the sun the girl who rushes like flame advancing
Like the wind dividing the curtain of clouds
Beautiful feminine sailboat
Beautiful lightning-flash dividing time
Your men carry the mark of the teeth of love
The polar night on fire
Seldom
       Sudden news of the world
(When the world begins to open its doors and the angel
    nods consent at the gate of the garden)
Never deserved

(Todo se nos da por añadidura
En una tierra condenada a repetirse sin tregua
Todos somos indignos
Hasta los muertos enrojecen
Hasta los ciegos deletrean la escritura del látigo
Racimos de mendigos cuelgan de las ciudades
Casas de ira torres de frente obtusa)
Infrecuentes
   Instantáneas
No llegan siempre en forma de palabras
Brota una espiga de unos labios
Una forma veloz abre las alas
     Imprevistas
Instantáneas
Como en la infancia cuando decíamos "ahí viene un barco
  cargado de . . ."
Y brotaba instantánea imprevista la palabra convocada
   Pez
    Álamo
     Colibrí
Y así ahora de mi frente zarpa un barco cargado de iniciales
Ávidas de encarnar en imágenes
      Instantáneas
Imprevistas cifras del mundo
La luz se abre en las diáfanas terrazas del mediodía
Se interna en el bosque como una sonámbula
Penetra en el cuerpo dormido del agua

Por un instante están los nombres habitados

(Everything is given to us, on top of everything
In a land condemned to repeat itself without respite
We are all unworthy
Even the dead blush
Even the blind decipher the whip's writing
Clusters of beggars are hanging from the cities
Houses of wrath   towers with dull faces)
Seldom
          Sudden
They do not always arrive in the form of words
A spike of grain bursts from some lips
A swift form opens its wings
                         Unforeseen
Sudden
As in early childhood when we said "here comes a ship with a
     load of . . ."
And suddenly unforeseen the word evoked burst forth
          Fish
               Willow
                    Humming-bird
And so now from my head sails a ship with a load of initials
Avid for incarnation in images
                         Sudden
Unforeseen ciphers of the world
Light opens on the transparent terraces of noon
Enters the forest like a sleepwalker
Penetrates the sleeping body of the water

For a moment life quickens in the names

de PIEDRAS SUELTAS

Lección de cosas

1. ANIMACIÓN

Sobre el librero,
entre un músico Tang y un jarro de Oaxaca,
incandescente y vivaz,
con chispeantes ojos de papel de plata,
nos mira ir y venir
la pequeña calavera de azúcar.

2. MÁSCARA DE TLALOC GRABADA EN CUARZO TRANSPARENTE

Aguas petrificadas.
El viejo Tláloc duerme, dentro,
soñando temporales.

3. LO MISMO

Tocado por la luz
el cuarzo ya es cascada.
Sobre sus aguas flota, niño, el dios.

Object Lesson

1. ANIMATION

Over the bookseller
between a Tang musician and an Oaxaca pitcher
incandescent, lively,
with glittering eyes of silver-paper
watching us come and go
the little sugar skull.

2. MASK OF TLALOC CARVED IN TRANSPARENT QUARTZ

Petrified waters.
Old Tlaloc sleeps, within,
dreaming rainstorms.

3. THE SAME

Touched by light
quartz has become cascade.
Upon its waters floats the child, the god.

4. DIOS QUE SURGE DE UNA ORQUÍDEA DE BARRO

Entre los pétalos de arcilla
nace, sonriente,
la flor humana.

5. DIOSA OLMECA

Los cuatro puntos cardinales
regresan a tu ombligo.
En tu vientre golpea el día, armado.

6. CALENDARIO

Contra el agua, días de fuego.
Contra el fuego, días de agua.

7. XOCHIPILLI

En el árbol del día
cuelgan frutos de jade,
fuego y sangre en la noche.

8. CRUZ CON SOL Y LUNA PINTADOS

Entre los brazos de esta cruz
anidaron dos pájaros:
Adán, sol, y Eva, luna.

9. NIÑO Y TROMPO

Cada vez que lo lanza,
cae, justo,
en el centro del mundo.

4. GOD WHO COMES FORTH FROM A
CERAMIC ORCHID

> Among clay petals
> is born, smiling,
> the human flower.

5. OLMEC GODDESS

> The four cardinal points
> are gathered in your navel.
> In your womb the day is pounding, fully armed.

6. CALENDAR

> Facing water, days of fire.
> Facing fire, days of water.

7. XOCHIPILLI

> In a day's tree
> hang jade fruit,
> fire and blood at night.

8. CROSS WITH SUN AND MOON PAINTED ON IT

> Between the arms of this cross
> two birds made their nest:
> Adam, sun, and Eve, moon.

9. BOY AND TOP

> Each time he spins it,
> it lands, precisely,
> at the center of the world.

10. OBJETOS

Viven a nuestro lado,
los ignoramos, nos ignoran.
Alguna vez conversan con nosotros.

En Uxmal

1. TEMPLO DE LAS TORTUGAS

En la explanada vasta como el sol
reposa y danza el sol de piedra,
desnudo frente al sol, también desnudo.

2. MEDIODÍA

La luz no parpadea,
el tiempo se vacía de minutos,
se ha detenido un pájaro en el aire.

3. MÁS TARDE

Se despeña la luz,
despiertan las columnas
y, sin moverse, bailan.

4. PLENO SOL

La hora es transparente:
vemos, si es invisible el pájaro,
el color de su canto.

10. OBJECTS

They live alongside us,
we do not know them, they do not know us.
But sometimes they speak with us.

In Uxmal

1. TEMPLE OF THE TORTOISES

In this court vast as the sun
rests and dances a stone sun,
naked before the sun; he too is naked.

2. NOON

Light unblinking,
time empty of minutes,
a bird stopped short in air.

3. LATER

Light flung down,
the pillars awake
and, without moving, dance.

4. FULL SUN

The time is transparent:
even if the bird is invisible,
let us see the color of his song.

5. RELIEVES

La lluvia, pie danzante y largo pelo,
el tobillo mordido por el rayo,
desciende acompañada de tambores:
abre los ojos el maíz, y crece.

6. SERPIENTE LABRADA SOBRE UN MURO

El muro al sol respira, vibra, ondula,
trozo de cielo vivo y tatuado:
el hombre bebe sol, es agua, es tierra.
Y sobre tanta vida la serpiente
que lleva una cabeza entre las fauces:
los dioses beben sangre, comen hombres.

Piedras sueltas

1. FLOR

El grito, el pico, el diente, los aullidos,
la nada carnicera y su barullo,
ante esta simple flor se desvanecen.

2. DAMA

Todas las noches baja al pozo
y a la mañana reaparece
con un nuevo reptil entre los brazos.

5. RELIEFS

The rain, dancing, long-haired,
ankles slivered by lightning,
descends, to an accompaniment of drums:
the corn opens its eyes, and grows.

6. SERPENT CARVED ON A WALL

The wall in the sun breathes, shivers, ripples,
a live and tattooed fragment of the sky:
a man drinks sun and is water, is land.
And over all that life the serpent
carrying a head between his jaws:
the gods drink blood, the gods eat man.

Riprap

1. FLOWER

Cry, barb, tooth, howls,
carnivorous nothingness, its turbulence,
all disappear before this simple flower.

2. SHE

Every night she goes down to the well
next morning reappearing
with a new reptile in her arms.

3. BIOGRAFÍA

No lo que pudo ser:
es lo que fue.
Y lo que fue está muerto.

4. CAMPANAS EN LA NOCHE

Olas de sombra, olas de ceguera
sobre una frente en llamas:
mojad mi pensamiento, ¡y apagadlo!

5. ANTE LA PUERTA

Gentes, palabras, gentes.
Dudé un instante:
la luna arriba, sola.

6. VISIÓN

Me vi al cerrar los ojos:
espacio, espacio
donde estoy y no estoy.

7. PAISAJE

Los insectos atareados,
los caballos color de sol,
los burros color de nube,
las nubes, rocas enormes que no pesan,
los montes como cielos desplomados,
la manada de árboles bebiendo en el arroyo,
todos están ahí, dichosos en su estar,
frente a nosotros que no estamos,
comidos por la rabia, por el odio,
por el amor comidos, por la muerte.

3. BIOGRAPHY

Not what he might have been:
but what he was.
And what he was is dead.

4. BELLS IN THE NIGHT

Waves of shadows, waves of blindness
on a forehead in flames:
water for my thought, drown it out!

5. AT THE DOOR

People, words, people.
I hesitated:
up there the moon, alone.

6. VISION

I saw myself when I shut my eyes:
space, space
where I am and am not.

7. LANDSCAPE

Insects endlessly busy,
horses the color of sun,
donkeys the color of cloud,
clouds, huge rocks that weigh nothing,
mountains like tilted skies,
a flock of trees drinking at the stream,
they are all there, delighted in being there,
and here we are not who are not,
eaten by fury, by hatred,
by love eaten, by death.

de PUERTA CONDENADA

Ni el cielo ni la tierra

Atrás el cielo,
atrás la luz y su navaja,
atrás los muros de salitre,
atrás las calles que dan siempre a otras calles.

Atrás mi piel de vidrios erizados,
atrás mis uñas y mis dientes
caídos en el pozo del espejo.
Atrás la puerta que se cierra,
el cuerpo que se abre.
Atrás, amor encarnizado,
pureza que destruye,
garras de seda, labios de ceniza.

Atrás, tierra o cielo.

Sentados a las mesas
donde beben la sangre de los pobres:
la mesa del dinero,
la mesa de la gloria y la de la justicia,
la mesa del poder y la mesa de Dios

from CONDEMNED DOOR

Nor Heaven Nor Earth

Behind heaven,
behind the light and its razor,
behind saltpeter walls,
behind streets that open forever on more streets.

Behind the bristling windows of my skin,
behind my nails and my teeth
fallen into the well of the mirror.
Behind the door that is shut,
the body that opens.
Behind, carnivorous love,
destructive purity,
silk claws, lips of ashes.

Behind, earth or heaven.

Seated at the tables
where they drink the blood of the poor:
the table of money,
the tables of glory and of justice,
the table of power and the table of God

—la Sagrada Familia en su Pesebre,
la Fuente de la Vida,
el espejo quebrado en que Narciso
a sí mismo se bebe y no se sacia
y el hígado, alimento de profetas y buitres . . .

Atrás, tierra o cielo.

Cohabitando escondidos
en sábanas insomnes,
cuerpos de cal y yeso,
piedras, cenizas ateridas
cuando la luz los toca;
y las tumbas de piedras o palabras,
la torre de Babel en comandita
y el cielo que bosteza
y el infierno mordiéndose la cola
y la resurrección
y el día de la vida perdurable,
el día sin crepúsculo,
el paraíso visceral del feto.

Creía en todo esto.
Hoy canto solo
a la orilla del llanto.
También el llanto sirve de almohada.

Las palabras

Dales la vuelta,
cógelas del rabo (chillen, putas),
azótalas,
dales azúcar en la boca a las rejegas,
ínflalas, globos, pínchalas,
sórbeles sangre y tuétanos,
sécalas,

—the Holy Family in its Manger,
the Fountain of Life,
the broken mirror where Narcissus
drinks of himself and does not slake his thirst
and the liver, food of prophets and vultures . . .

Behind, earth or heaven.

Cohabiting secretly
on sleepless sheets,
bodies of lime and plaster,
stones, ashes stiff with cold
when the light touches them;
and tombs built of stones or words,
their silent partner, the tower of Babel
and the yawning sky
and hell biting its own tail
and the resurrection
and the day of life that persists and endures,
day without twilight,
the visceral paradise of the embryo.

I used to believe in all this.
Today I sing alone
on a shore of wailing.
Wailing, too, will do for a pillow.

Words

Go at it again,
fling them around,
give it to them,
let them bitch, the whores,
whip them,
put sugar in their mouths,
blow them up, globes, pinch them,

cápalas,
písalas, gallo galante,
tuérceles el gaznate, cocinero,
desplúmalas,
destrípalas, toro,
buey, arrástralas,
hazlas, poeta,
haz que se traguen todas sus palabras.

Escritura

Cuando sobre el papel la pluma escribe,
a cualquier hora solitaria,
¿quién la guía?
¿A quién escribe el que escribe por mí,
orilla hecha de labios y de sueño,
quieta colina, golfo,
hombro para olvidar al mundo para siempre?

Alguien escribe en mí, mueve mi mano,
escoge una palabra, se detiene,
duda entre el mar azul y el monte verde.
Con un ardor helado
contempla lo que escribo.
Todo lo quema, fuego justiciero.
Pero este juez también es víctima
y al condenarme, se condena:
no escribe a nadie, a nadie llama,
a sí mismo se escribe, en sí se olvida,
y se rescata, y vuelve a ser yo mismo.

suck their blood and marrow,
dry them up,
cut their balls,
cover them, cock of the walk,
wring their necks, cook,
pluck them,
rip their guts out, bull,
drag them down, bullock,
make them, poet,
make them eat their own words.

Writing

When over the paper the pen goes writing
in any solitary hour,
who drives the pen?
To whom is he writing, he who writes for me,
this shore made of lips, made of dream,
a hill of stillness, abyss,
shoulder on which to forget the world forever?

Someone in me is writing, moves my hand,
hears a word, hesitates,
halted between green mountain and blue sea.
With icy fervor
contemplates what I write.
All is burned in this fire of justice.
But this judge is nevertheless the victim
and in condemning me condemns himself:
He writes to anyone, he calls nobody,
to his own self he writes, and in himself forgets,
and is redeemed, becoming again me.

El joven soldado

I. ÁRBOL QUIETO ENTRE NUBES

Aquel joven soldado
era sonriente y tímido y erguido
como un joven durazno.
El vello de su rostro se doraba
con el rubor de los duraznos
al amarillo sol de mediodía.
Sus ademanes eran
como los ademanes del durazno
cuando el viento lo mueve, en la colina.
Si sonreía era su sonrisa
un imprevisto florecer durazno.
Una ráfaga a veces lo nublaba
y entonces, serio, ensimismado,
era un durazno al aire, deshojado.

Jugaba con los niños, en la tarde,
con un fervor nostálgico, lejano,
con la misma ternura de la ola
que se aleja volviendo la cabeza.
Un viento melancólico barría
nubes en flor, apenas nubes,
y en el jardín volaban hojas
—oh despeinada primavera!

Árbol quieto entre nubes, hojas, niños,
se preguntaba aquel soldado:
¿Es nube todo, todo es hoja, viento?
¿Los familiares árboles son nubes?
¿Esta rama que toco, esta corteza,
estos niños, son nubes? ¿Nube el sueño
y la muchacha aquella y su perfume,

The Young Soldier

I. STILL TREE AMONG CLOUDS

That young soldier
smiled and was shy and straight
as a young peachtree.
The down on his face golden
with the glow of peaches
in yellow noonday.
His gestures
the gestures of a peachtree moving
in the wind on the hill.
His smile intense
as early-flowering peach.
Sometimes clouded by gusts
and after, earnest, inward,
like a stripped peachtree.

He used to play games with the boys,
afternoons, in nostalgic remote passion,
the tenderness of a wave
that recedes, turning its head.
A sad wind swept
blossoming clouds, traces of clouds,
the leaves flew, in the garden
—O windblown spring!

Still tree among clouds, children, leaves,
that soldier was asking his questions:
Is everything cloud, is it all leaf, wind?
Are they clouds, the trees we know?
This branch I touch, this bark,
these children, are they clouds? Or dream
and that girl and her perfume,

fantasma de la carne, nube, espuma
apenas sostenida por el viento?

Y se alejó, callada nube negra.

II. ALGUNAS PREGUNTAS

Pensar a solas ¿no es llorar a solas?
Unos lloran con lágrimas,
otros con pensamientos.
¿Llora mi pensamiento cuando piensa?
¿No hay agua en mí, no hay sal, no hay lágrimas?
Mi pensamiento es una vena
que en la boca de un pozo
se desangra y jadea, vacïada.
Pensar a solas ¿no es morir a solas?

Y aquel joven soldado se pensaba
con un traje prestado
y una cara prestada,
muriendo a solas, entre soledades.

Aunque morimos juntos,
la misma tierra nos entierra
y la misma mentira nos envuelve,
cada quien, al morir, se muere a solas.

¿Recordaré la música que amo?
¿La imagen recordada y la entrevista,
y el talle que toqué
y la cintura adivinada,
y el olor y el sabor,
todo, al morir, para morir, renace?

¿Morir será vivir de nuevo todo
en un instante inmenso y sin futuro,
tenerlo todo para abandonario?

fantasy of the flesh, cloud, foam
hardly carried by the wind?

He went away, a black quieted cloud.

II. A FEW QUESTIONS

Thinking alone, isn't that weeping alone?
Some weep tears,
others, thoughts.
And does my thought weep when it thinks?
Aren't there water and salt in me, aren't there tears?
My thought is an artery
that at the well's mouth
bleeds and pants, spilled out.
Thinking alone, isn't that dying alone?

And that young soldier thought of himself
in his borrowed uniform
and his borrowed face,
dying alone, among the solitudes.

Even though we die together,
lying together in the ground,
the same lie surrounding us,
each of us dying dies alone.

Will I remember the music that I love?
The remembered image, the scene of meeting,
remember the body that I touched
the waist deduced,
the scent, the taste,
all, after death, by dying be reborn?

Is death to be the rebirth of everything
in a moment, enormous, futureless,
holding it all by letting it all go?

Morir a solas, con mis pensamientos,
morir a solas, entre soledades . . .

Y en el silencio de la estancia
escuchaba el soldado
un piano imaginario,
tocado por él mismo, al otro lado.

III. CONVERSACIÓN EN UN BAR

> *Un espejo empañado*
> *y rostros de ahogados*
> *hundiéndose en el vaho del espejo.*
> *Voces de todos los colores,*
> *voces de humo, voces de ceniza.*

—Sábado por la tarde, sin permiso.
La soledad se puebla y todo quema.
(El viento del Oeste son dos vientos:
en la noche es un búfalo fantasma,
al alba es un ejército de pájaros.)
—Pardeaba. Les dije entonces:
Saben que iremos, nos esperan . . .
(—Las muchachas del Sur corren desnudas
en la noche. Sus huellas en la arena
son estrellas caídas,
joyas abandonadas por el mar.)
—Éramos tres: un negro, un mexicano
y yo. Nos arrastramos por el campo,
pero al llegar al muro una linterna . . .
(—En la ciudad de piedra
la nieve es una cólera de plumas.)
—Nos encerraron en la cárcel.
Yo le menté la madre al cabo.
Al rato las mangueras de agua fría.
Nos quitamos la ropa, tiritando.
Muy tarde ya, nos dieron sábanas.

Death all alone, with all my imagining,
death all alone, among the solitudes . . .

Among the silence he was quartered in
the soldier kept hearing
an imaginary piano
played by himself on the other side.

III. TALK IN A BAR

A mirror tarnished
and faces of drowned men
sink themselves in the smoke of the mirror.
Voices of all colors,
voices of smoke and ashes.

—Saturday evening, without leave.
Loneliness fills with people and everything burns.
(The west wind is two winds:
at night it is a ghost buffalo,
at dawn an army of birds.)
—A grey light. I said to them then:
They know we'll go, they're waiting for us . . .
(—The southern girls run naked
in the night. Their tracks in the sand
are fallen stars,
jewels abandoned by the sea.)
—There were three of us: a Negro, a Mexican
and I. We wormed our way across the field,
but when we came to the wall a lantern . . .
(—In the stone city
snow is a rage of feathers.)
—They locked us up in jail.
Finally I called him a son of a bitch.
Next they gave us the cold water treatment.
We took our clothes off, shivering.
Then, much later, they gave us sheets.

(—En otoño los árboles del río
dejan caer sus hojas amarillas
en la espalda del agua.
Y el sol, en la corriente,
es una lenta mano que acaricia
una garganta trémula.)
—Después de un mes la vi. Primero al cine,
luego a bailar. Tomamos unos tragos.
En una esquina nos besamos . . .
(—El sol, las rocas rojas del desierto
y un cascabel erótico: serpientes.
Esos amores fríos en un lecho de lavas . . .)
—El fuego del infierno es fuego frío.

Voces de humo, voces de ceniza.
Y todo el cielo era
el empañado cielo de un espejo.

IV. RAZONES PARA MORIR

1

Unos me hablaban de la patria.
Mas yo pensaba en una tierra pobre,
pueblo de polvo y luz,
y una calle y un muro
y un hombre silencioso junto al muro.
Y aquellas piedras bajo el sol del páramo
y la luz que en el río se desnuda . . .
olvidos que alimentan la memoria,
que ni nos pertenecen ni llamamos,
sueños del sueño, súbitas presencias
con las que el tiempo dice que no somos,
que es él quien se recuerda y él quien sueña.
No hay patria, hay tierra, imágenes de tierra,
polvo y luz en el tiempo . . .

(—In autumn, the trees by the river
let fall their yellow leaves
on the water's shoulder.
And the sun on the current
is a hand that strokes slowly
a trembling throat.)
—After a month, I saw her. First, the movies,
then we went dancing. We had a few drinks.
On the corner, we kissed . . .
(—Sun, the red rocks of the desert
and an erotic jangle: they are snakes.
Those cold loves in a lava bed . . .)
—Hellfire is cold fire.

> *Voices of smoke, voices of ashes.*
> *And the entire sky was*
> *the tarnished sky of a mirror.*

IV. REASONS FOR DYING

1

Some spoke of our land.
But I thought of a poor earth,
people of dust and light,
a street and a wall
and a silent man up against the wall.
And those stones in the clear upland sun
and light standing naked in the river . . .
forgotten things that feed my memory,
irrelevant things, not summoned up,
dreams of a dream, those sudden presences
with which time tells us that we have no being,
that time is the one who remembers and who dreams.
There is no country, there is earth and its images,
dust and light living in time . . .

2

Otros me hablaban de la gloria.
¿Durar? ¿Dura la flor? Su llama fresca
en la mano del viento se deshoja:
la flor quiere bailar, sólo bailar.
¿Duran el árbol y sus hojas
—vestidura que al viento es de rumores
y al sol es de reflejos?
¿Este cielo, infinito que reposa,
es el mismo de ayer, nubes de piedra?
No durar: ser eterno,
labios en unos labios,
luz en la cima de la ola, viva,
soplo que encarna al fin
y es una plenitud que se derrama.
Ser eterno un instante,
vibración amarilla del olvido.

3

La rima que se acuesta con todas las palabras,
la Libertad, a muerte me llamaba,
alcahueta, sirena
de garganta leprosa.
Virgen de humo de mi adolescencia
mi libertad me sonreía
como un abismo contemplado
desde el abismo de nosotros mismos.
La libertad es alas,
es el viento entre hojas, detenido
por una simple flor; y el sueño
en el que somos nuestro sueño;
es morder la naranja prohibida,
abrir la vieja puerta condenada
y desatar al prisionero:
esa piedra ya es pan,

2

Others spoke to me of glory.
Last? Does the flower last? Its fresh flame
is lost if a wind even breathes on your hand:
the flower longs to dance, only to dance.
Does the tree last, and do its leaves
—raiment which in the wind is made of whispers
and in the sun is made of mirrors?
This sky, this infinite in repose,
is it like yesterday's, are clouds made of stone?
There is no lasting: eternal being,
lips on other lips,
light at the crest of the wave, live,
breath which is finally made flesh
and is a plenitude that overflows.
To be eternal for a moment,
vibrating yellow of oblivion.

3

The rhyme which goes to bed with all the words,
Freedom, has been calling me to death,
she runs the whorehouse, siren
whose throat is leprosy.
Smoky virgin of my adolescence
my freedom used to smile at me
like an abyss observed
from that abyss, our selves.
Freedom is wings,
the wind in leaves, pausing over
a simple flower: and the sleep
in which we are our dream;
it is the eating of forbidden fruit,
the opening of the old abandoned gate
untying the prisoner:
that stone is bread,

esos papeles blancos son gaviotas,
son pájaros las hojas
y pájaros tus dedos: todo vuela.

4

Mas otros no me hablaban.
En su silencio yo escuchaba mi silencio.
"Nada explica mi muerte,
porque el silencio es un espejo
donde se ahogan todas la preguntas."
Y en su silencio sólo había
un bostezo infinito—y luego, nada.

Seven P. M.

En filas ordenadas regresamos
y cada noche, cada noche,
mientras hacemos el camino,
el breve infierno de la espera
y el espectro que vierte en el oído:
"¿No tienes sangre ya? ¿Por qué te mientes?
Mira los pájaros . . .
El mundo tiene playas todavía
y un barco allá te espera, siempre."

Y las piernas caminan
y una roja marea
inunda playas de ceniza.

"Es hermosa la sangre
cuando salta de ciertos cuellos blancos.
Báñate en esa sangre:
el crimen hace dioses."

those white papers are seagulls,
the leaves are birds,
your fingers birds: everything is in flight.

4

But there were others who did not speak to me.
In their silence I listened to my silence.
"Nothing explains my death,
for silence is a mirror where
all the questions drown."
And in their silence there was only
an infinite yawn—and then, nothing.

Seven P. M.

We go back in orderly rows
and every night, every night,
while we go that journey,
the little hell of hope
and the ghost who spills in your ears:
"No blood in your veins? Why lie?
Look, the birds . . .
The world is there with its beaches
and far out there's a ship waiting for you, forever."

And legs walk
and red surf
floods beaches of ashes.

"Lovely, that blood
as it leaps from certain white throats.
Bathe in that blood:
crime makes gods."

Y el hombre aprieta el paso
y ve la hora: aún es tiempo
de alcanzar el tranvía.

"Allá, del otro lado,
yacen las islas prometidas. Danzan
los árboles de música vestidos,
se mecen las naranjas en las ramas
y las granadas abren sus entrañas
y se desgranan en la yerba,
rojas estrellas en un cielo verde,
para la aurora de amarilla cresta . . ."

Y los labios sonríen y saludan
a otros condenados solitarios:
¿Leyó usted los periódicos?

"¿No dijo que era el Pan y que era el Vino?
¿No dijo que era al Agua?
Cuerpos dorados como el pan dorado
y el vino de labios morados
y el agua, desnudez . . ."

Y el hombre aprieta el paso
y al tiempo justo de llegar a tiempo
doblan la esquina, puntuales, Dios y el tranvía.

La calle

Es una calle larga y silenciosa.
Ando en tinieblas y tropiezo y caigo
y me levanto y piso con pies ciegos
las piedras mudas y las hojas secas
y alguien detrás de mí también las pisa:
si me detengo, se detiene;

And the man quickens his step,
he knows what time it is: now it is time
to catch the streetcar.

"Far out, on the other shore,
lie the promised isles. Trees
robed in music dance their dance,
oranges swing on those branches,
pomegranates split open
and spill their seeds on the grass,
red stars on a sky of green,
in yellow-crested dawn . . ."

And lips smile and greet
others in solitary:
Read the paper to you?

"Didn't he say I was the Bread and the Wine?
Didn't he say I was the Water?
Bodies made gold like bread made gold
and wine of purple lips
and water, nakedness . . ."

And the man quickens his step
and at exactly the time of being on time
they turn the corner, punctual, God and the streetcar.

The Street

A long and silent street.
I walk in blackness and I stumble and fall
and rise, and I walk blind, my feet
stepping on silent stones and dry leaves.
Someone behind me also stepping on stones, leaves:
if I slow down, he slows;

si corro, corre. Vuelvo el rostro: nadie.
Todo está oscuro y sin salida,
y doy vueltas y vueltas en esquinas
que dan siempre a la calle
donde nadie me espera ni me sigue,
donde yo sigo a un hombre que tropieza
y se levanta y dice al verme: nadie.

Elegía interrumpida

Hoy recuerdo a los muertos de mi casa.
Al primer muerto nunca lo olvidamos,
aunque muera de rayo, tan aprisa
que no alcance la cama ni los óleos.
Oigo el bastón que duda en un peldaño,
el cuerpo que se afianza en un suspiro,
la puerta que se abre, el muerto que entra.
De una puerta a morir hay poco espacio
y apenas queda tiempo de sentarse,
alzar la cara, ver la hora
y enterarse: las ocho y cuarto.
Y oigo el reloj que da la hora,
terco reloj que marca siempre el paso,
y nunca avanza y nunca retrocede.

Hoy recuerdo a los muertos de mi casa.
La que murió noche tras noche
y era una larga despedida,
un tren que nunca parte, su agonía.
Codicia de la boca
al hilo de un suspiro suspendida,
ojos que no se cierran y hacen señas
y vagan de la lámpara a mis ojos,
fija mirada que se abraza a otra,
ajena, que se asfixia en el abrazo

if I run, he runs. I turn: nobody.
Everything dark and doorless.
Turning and turning among these corners
which lead forever to the street
where nobody waits for, nobody follows me,
where I pursue a man who stumbles
and rises and says when he sees me: nobody.

Interrupted Elegy

Now I remember the dead of my own house.
We shall not be forgetting the first one dead,
though he was the one struck down, he died so fast
that nothing was there, no bed, no holy oils.
I hear the cane falter on a step of the stairs,
the body that makes itself secure, sighing,
the door opening, the dead man coming in.
Between a door and dying there's little space,
and there's hardly time enough to settle in,
look up and see what time it is
and find out: it's exactly quarter past eight.
And I hear the clock that says what time it is,
obstinate clock that is always marking time,
and never gains and never falls behind.

Now I remember the dead of my own house.
The woman, the one who died night after night
and that was certainly a long leave-taking,
a train that never started, her agony.
Covetousness of the mouth
suspended on the thread of a sighing breath,
eyes that never close, eyes that send out signals
and wander from the lamp to my own eyes,
rigid stare which embraces another look,
the distant one, suffocating in embrace

y al fin se escapa y ve desde la orilla
cómo se hunde y pierde cuerpo el alma
y no encuentra unos ojos a que asirse . . .
¿Y me invitó a morir esa mirada?
Quizá morir con otro no es morirse.
Quizá morimos sólo porque nadie
quiere morirse con nosotros, nadie
quiere mirarnos a los ojos.

Hoy recuerdo a los muertos de mi casa.
Al que se fue por unas horas
y nadie sabe dónde se ha perdido
ni a qué silencio entró.
De sobremesa, cada noche,
la pausa sin color que da al vacío
o la frase sin fin que cuelga a medias
del hilo de la araña del silencio
abren un corredor para el que vuelve:
suenan sus pasos, sube, se detiene . . .
Y alguien entre nosotros se levanta
y cierra bien la puerta.
Pero él, allá del otro lado, insiste.
Acecha en cada hueco, en los repliegues,
vaga entre los bostezos, las afueras.
No se ha muerto del todo, se ha perdido.
Y aunque cerremos puertas, él insiste.

Hoy recuerdo a los muertos de mi casa.
Rostros perdidos en mi frente, rostros
sin ojos, ojos fijos, vaciados,
¿busco en ellos acaso mi secreto,
el dios de sangre que mi sangre mueve,
el dios de hielo, el dios que me devora?
Su silencio es espejo de mi vida,
en mi vida su muerte se prolonga:
soy el error final de sus errores.

and finally escapes and watches from the shore
how the soul is submerged and loses body
and never finds eyes that it can fasten on . . .
And was it this stare that summoned me to death?
Perhaps to die with someone is not to die.
Perhaps we die only because nobody
is willing to die with us, nobody
is willing to look us in the eyes.

Now I remember the dead of my own house.
He who was absent for a matter of hours
and nobody knows the place where he is lost
nor what silence he has entered.
After dinner, every evening,
the colorless pause which leads to emptiness
or the endless sentence which is partly hanging
upon the thread of the spider of silence
open a corridor for one returning:
we hear his footsteps, he climbs the stair, he stops . . .
And someone or other among us gets up
and shuts the door tight.
But he, out there on the other side, insists.
He lies in ambush in every hole and fold,
he is wandering among the yawns, the suburbs.
He is not altogether dead, he is lost.
And although we may close the doors, he insists.

Now I remember the dead of my own house.
Faces lost in my head today, the faces
eyeless, or with eyes that are staring, emptied,
Am I perhaps searching in them for my secret,
the god of blood who excites the blood in me,
the god of ice, the god who devours me?
Their silence is the mirror of my life
in my own life their death is continuing:
among their mistakes, I am the last mistake.

Hoy recuerdo a los muertos de mi casa.
El círculo falaz del pensamiento
que desemboca siempre donde empieza,
la saliva que es polvo, que es ceniza,
los labios mentirosos, la mentira,
el mal sabor del mundo, el impasible,
abstracto abismo del espejo a solas,
todo lo que al morir quedó en espera,
todo lo que no fue—y lo que fue
y ya no será más, en mí se alza,
pide vivir, comer el pan, la fruta,
beber el agua que le fue negada.
Pero no hay agua ya, todo está seco,
no sabe el pan, la fruta amarga,
amor domesticado, masticado,
en jaulas de barrotes invisibles
mono onanista y perra amaestrada,
lo que devoras te devora,
tu víctima también es tu verdugo.
Montón de días muertos, arrugados
periódicos, y noches descorchadas
y amaneceres, corbata, nudo corredizo:
"saluda al sol, araña, no seas rencorosa . . ."

Es un desierto circular el mundo,
el cielo está cerrado y el infierno vacío.

Now I remember the dead of my own house.
The treacherous circle of imagining
that always flows out into its starting-place,
saliva that is dust, is dust and ashes,
the lying of the mouth and the lie itself,
the bad taste of the world, the indifferent,
abstract abyss with a mirror, nothing else,
all that which at the point of death is waiting,
all that never was—whatever was
and now will never be, in me it rises
and begs to live and to eat bread, to eat fruit,
and drink the water that it has been denied.
But now there is no water, everything's dry,
bread has no taste, and fruit is bitter,
love is domesticated, masticated,
caged up within invisible prison bars,
masturbating ape and well-trained bitch,
what you devour is devouring you,
your victim is your executioner.
A heap of dead days, crumpled-up
newspapers, nights decorticated
and daybreaks, a tie, a running knot:
"greet the sun, spider, and not in rancor . . ."

This world is a desert that is a circle,
heaven is closed and hell is empty.

de ¿ÁGUILA O SOL?

Hacia el poema

(PUNTOS DE PARTIDA)

I

Palabras, ganancias de un cuarto de hora arrancado al árbol calcinado del lenguaje, entre los buenos días y las buenas noches, puertas de entrada y salida y entrada de un corredor que va de ningunaparte a ningúnlado.

Damos vueltas y vueltas en el vientre animal, en el vientre mineral, en el vientre temporal. Encontrar la salida: el poema.

Obstinación de ese rostro donde se quiebran mis mirados. Frente armada, invicta ante un paisaje en ruinas, tras el asalto al secreto. Melancolía de volcán.

La benévola jeta de piedra de cartón del Jefe, del Conductor, fetiche del siglo; los yo, tú, él, tejedores de tela de araña, pronombres armados de uñas; las divinidades sin rostro, abstractas. Él y nosotros, Nosotros y Él: nadie y ninguno. Dios padre se venga en todos estos ídolos.

El instante se congela, blancura compacta que ciega y no re-

Toward the Poem

(S T A R T I N G - P O I N T S)

I

Words, the profit of a quarter hour pulled from the burnt-out tree of language, between the good mornings and good nights, the way in and the way out and the way in of a corridor going from noplace to nowhere.

We turn and turn in the animal belly, in the mineral belly, in the belly of time. To find the way out: the poem.

Obstinacy of that face where my gaze is stopped. Armed forehead, unconquered before a ruined countryside, after besieging the secret. Volcanic melancholy.
Benevolent stone snout of the cartoon of the Leader, the Director, the century's fetish; the I, you, he, spinners of spider-webs, pronouns whose weapons are fingernails; faceless divinities, abstractions. God the father avenges himself in all these idols. He and we, We and He: nobody and none.

The moment freezes, a compact whiteness that strikes us blind

sponde y se desvanece, témpano empujado por corrientes circulares. Ha de volver.

Arrancar la máscaras de la fantasía, clavar una pica en el centro sensible: provocar la erupción.

Cortar el cordón umbilical, matar bien a la Madre: crimen que el poeta moderno cometió por todos, en nombre de todos. Toca al nuevo poeta descubrir a la Mujer.

Hablar por hablar, arrancar sones a la desesperada, escribir al dictado lo que dice el vuelo de la mosca, ennegrecer. El tiempo se abre en dos: hora del salto mortal.

II

Palabras, frases, sílabas, astros que giran alrededor de un centro fijo. Dos cuerpos, muchos seres que se encuentran en una palabra. El papel se cubre de letras indelebles, que nadie dijo, que nadie dictó, que han caído allí y arden y queman y se apagan. Así pues, existe la poesía, el amor existe. Y si yo no existo, existes tú.

Por todas partes los solitarios forzados empiezan a crear las palabras del nuevo diálogo.

El chorro de agua. La bocanada de salud. Una muchacha reclinada sobre su pasado. El vino, el fuego, la guitarra, la sobremesa. Un muro de terciopelo rojo en una plaza de pueblo. Las aclamaciones, la caballería reluciente entrando a la ciudad, el pueblo en vilo: ¡himnos! La irrupción de lo blanco, de lo verde, de lo llameante. Lo demasiado fácil, lo que se escribe solo: la poesía.

El poema prepara un orden amoroso. Preveo un hombre-sol y una mujer-luna, el uno libre de su poder, la otra libre de su esclavitud, y amores implacables rayando el espacio negro. Todo ha de ceder a esas águilas incandescentes.

and makes no response and then dissolves, an iceberg carried by circular currents. It will be back.

Rip off the masks of fantasy, spike the center of sense: provoke the eruption.

Cut the umbilical cord, kill off the Mother: crime that the modern poet has committed for all, in the name of all. It is up to the new poet to discover Woman.

Speak for the sake of speaking, force sounds out of the woman in despair, write from dictation what the flight of the fly dictates, blacken. Time opens in two: the hour of the somersault.

II

Words, phrases, syllables, stars turning about a fixed center. Two bodies, many beings meeting in one word. The paper becomes covered with indelible letters, spoken by nobody, dictated by nobody, that burn and flame up and go out. This, then, is how poetry exists, how love exists. And if I do not exist, you do.

Everywhere those in solitary begin to create the words of a new dialogue.

The gush. A mouthful of health. A girl lying on her past. Wine, fire, guitar, tablecloth. A red plush wall in a village square. Cheers, glittering cavalry that enter the city, the people in flight: hymns! Eruption of white, green, fiery. The easiest thing, that which writes itself: poetry.

The poem prepares a loving order. I foresee a man sun and a moon woman, he free of his own power, she free of her slavery, and implacable love shining through black space. Everything must give way before these incandescent eagles.

Por las almenas de tu frente el canto alborea. La justicia poética incendia campos de oprobio: no hay sitio para la nostalgia, el yo, el nombre propio.

Todo poema se cumple a expensas del poeta.

Mediodía futuro, árbol inmenso de follaje invisible. En las plazas cantan los hombres y las mujeres el canto solar, surtidor de transparencias. Me cubre la marejada amarilla: nada mío ha de hablar por mi boca.

Cuando la Historia duerme, habla en sueños: en la frente del pueblo dormido el poema es una constelación de sangre. Cuando la Historia despierta, la imagen se hace acto, acontece el poema: la poesía entra en acción.

Merece lo que sueñas.

On the battlements of your brow song finds its daybreak. Poetic justice sets fire to fields of shame: no place for nostalgia, for the I, the proper noun.

Every poem is made at the poet's expense.

Future noon, an immense tree of invisible leaves. In the streets, men and women singing the song of the sun, a fountain of transparencies. Yellow surf covers me: nothing of myself is to speak through my own mouth.

When History sleeps, it speaks in dreams: on the brow of the sleeping people, the poem is a constellation of blood. When History wakes, image becomes deed, the poem is achieved: poetry goes into action.

Deserve your dream.

El ausente

I

Dios insaciable que mi insomnio alimenta;
Dios sediento que refrescas tu eterna sed en mis lágrimas,
áspero fuego y sal devoradora;
Dios vacío que golpeas mi pecho con un puñal de angustia,
   deshabitándome, cada vez más hondo;
Dios desierto, estéril peña que mi súplica baña;
Dios mudo, que al silencio del hombre que pregunta contestas
   sólo con silencio que ahoga;
Dios hueco, Dios de nada, mi Dios:
sangre,
lágrimas y avidez rencorosa,
vado sangriento desde mi desierto,
me conducen.

La sangre de la tierra,
la de los animales y la del vegetal somnoliento,
la sangre petrificada de los minerales
y la del fuego que dormita en la tierra,
tu sangre,
la del vino frenético que canta en primavera,
Dios esbelto y solar,

Absence

I

Insatiable God who feeds on my sleeplessness;
thirsting God who wets your eternal thirst in my tears,
harsh fire, ravenous salt;
God the void, you stab my chest with your dagger of anguish,
    emptying me of everything, each time deeper;
God the desert, you sterile rock that my prayer laps upon;
mute God, who answers the asking silence of man only with
    your silence that smothers;
empty God, God of nothing, and my God:
blood,
tears and avid spite,
the bloody ford out of my desert,
they lead me.

Blood of the earth,
of animals, of sleeping green,
petrified blood of minerals
and of fire dormant in earth,
you, blood
of the frenzied vine singing in springtime,
the slender God of the sun,

Dios de resurrección,
estrella hiriente,
insomne flauta que alza su dulce llama entre sombras caídas,
oh Dios que en la fiestas convocas a las mujeres delirantes
y haces girar sus vientres planetarios y sus nalgas salvajes,
los pechos inmóviles y eléctricos,
atravesando el universo enloquecido y desnudo
y la sedienta extensión de la noche desplomada.

Sangre,
sangre que todavía te mancha con resplandores ígneos,
la sangre humilde del planeta,
la sangre derramada en la noche del sacrificio,
la de los inocentes y la de los impíos,
la de tus enemigos y la de tus justos,
la sangre tuya, la de tu sacrificio.

II

Por ti corro sediento
a través de mi estirpe,
hasta el pozo de polvo
donde mi semen se deshace en otros,
más antiguos, sin nombre,
ciegos ríos de cenizas y ruina.

Te he buscado, te busco,
en la árida vigilia, escarabajo
de la razón que trepa;
en los sueños henchidos de presagios
y en los torrentes negros que el delirio desata:
el pensamiento es una espada
que ilumina y destruye
y luego del relámpago no hay nada
sino un correr por el sinfín
y encontrarse uno mismo frente al muro.

God of resurrection,
and piercing star,
unsleeping flute casting a sweet flame down dark declivities,
O God who in the fiestas summons the frantic women
and makes their planetary bellies and their wild buttocks grind,
their breasts unmoving and electrical,
crossing a naked, crazy universe
and the thirsty reaches of the toppled night.

Blood,
blood which still fouls you with its fiery glare,
the humble blood of the planet,
blood spilt on the night of sacrifice,
blood of the innocents and of the transgressors,
of your enemies and of your righteous,
your own blood, and of your sacrifice.

II

For your sake I thirsting run
back down my lineage,
all the way to the well of dust
where my sperm disintegrates in those
older, nameless,
blind rivers of ashes and ruin.

I have searched for you, I search
in arid vigil, scarab
of reason who drills deep;
in dreams swollen with warnings
and in black torrents delirium lets loose;
thought is a sword
it casts light and destroys
and after the lightning nothing at all
but a long run through endlessness
and finding oneself facing the wall.

Te he buscado, te busco,
en la cólera pura de los desesperados,
allí donde los hombres se juntan para morir sin ti,
entre una maldición y una flor degollada.
No, no estabas en ese rostro roto en mil rostros iguales.

Te he buscado, te busco,
entre los restos de la noche en ruinas,
yo mismo atroz despojo de la luz que deserta,
en el niño mendigo, náufrago que sueña en el asfalto con arenas
    y olas,
junto a perros nocturnos,
rostros de niebla y cuchillada
y desiertas pisadas de tacones sonámbulos.

Alguna vez, frente a frente yo mismo,
se deshizo mi rostro en el espejo:
¿eras mi propio rostro,
ese helado reflejo de la nada?

Se pregunta a la vida y contesta: la muerte.
Pero la muerte no contesta.

III

Viva palabra oscura,
palabra del principio,
principio sin palabra,
piedra y tierra, sequía,
verdor súbito,
fuego que no se acaba,
agua que brilla en una cueva:
no existes, pero vives,
en nuestra angustia habitas,
en el fondo vacío del instante
—oh aburrimiento—,

I have searched for you, I search
in the pure rage of those who have lost hope,
out there where men meet to go to death without you,
between an imprecation and a ripped-off flower.
No, you were not in that face smashed into a thousand matching
      faces.

I have searched for you, I search
among the remnants of a night in ruins,
myself a frightful husk of the forsaking light,
in the beggar child, drowned and dreaming on the asphalt
      among sand and waves,
and all the dogs of night,
faces of mist and stabbing,
and the deserted footfalls, heels, sleepwalking.

Once in a while, confronting myself,
my face disintegrated in the glass:
were you my own face,
that frozen reflection of nothing?

One asks of life and it answers: death.
But death does not answer.

III

Dark lively word,
word of the origin,
origin without word,
stone and earth, drought,
and sudden green,
fire that is not quenched,
water glittering in a cave:
you do not exist, but you live,
in our anguish you make your home,
in the empty depth of the moment
—boredom—,

en el trabajo y el sudor, su fruto,
en el sueño que engendra y el muro que prohibe.

Dios vacío, Dios sordo, Dios mío,
lágrima nuestra, blasfemia,
palabra y silencio del hombre,
signo del llanto, cifra de sangre,
forma terrible de la nada,
araña del miedo,
reverso del tiempo,
gracia del mundo, secreto indecible,
muestra tu faz que aniquila,
que al polvo voy, al fuego impuro.

México, 1942

Virgen

I

Ella cierra los ojos y en su adentro
está desnuda y niña, al pie del árbol.
Reposan a su sombra el tigre, el toro.
Tres corderos de bruma le da al tigre,
tres palomas al toro, sangre y plumas.
Ni plegarias de humo quiere el tigre
ni palomas el toro: a ti te quieren.
Y vuelan las palomas, vuela el toro,
y ella también, desnuda vía láctea,
vuela en un cielo visceral, oscuro.
Un maligno puñal ojos de gato
y amarillentas alas de petate
la sigue entre los aires. Y ella lucha
y vence a la serpiente, vence al águila,
y sobre el cuerno de la luna asciende . . .

in work and in sweat, the fruit of work,
in the dream that begets and the wall that says No.

God of emptiness, deaf God, O my God,
our weeping, our blasphemy,
speech and silence of man,
sign of the flood of tears, the seal of blood,
terrible form of nothingness,
spider of dread,
reverse of time,
grace of the world, secret unutterable,
reveal thy countenance that does consume us all,
suffer me to go to dust, to the impure fire.

Virgin

I

She closes her eyes and within her own self
is naked, a little girl, at the foot of the tree.
In her own shadow rest the tiger and the bull.
Three lambs of mist she offers to the tiger,
three doves to the bull, in all their blood and feathers.
The tiger does not want supplications of smoke
nor the bull feathers: it is you they want.
And the doves fly away, the bull flies over,
and she also, a naked milky way,
she flies across a visceral dark sky.
A maleficent dagger with cat's eyes,
rattan-mat wings a little yellowing,
follows her through the winds. She struggles,
defeats the serpent and defeats the eagle
and over the horn of the moon she ascends . . .

II

Por los espacios gira la doncella.
Nubes errantes, torbellinos, aire.
El cielo es una boca que bosteza,
boca de tiburón en donde ríen,
afilados relámpagos, los astros.
Vestida de azucena ella se acerca
y le arranca los dientes al dormido
y al aire sin edades los arroja:
islas que parpadean cayeron las estrellas,
cayó al mantel la sal desparramada,
lluvia de plumas fue la garza herida,
se quebró la guitarra y el espejo
también, como la luna, cayó en trizas.
Y la estatua cayó. Viriles miembros
se retorcieron en el polvo, vivos.

III

Rocas y mar. El sol envejecido
quema las piedras que la mar amarga.
Cielo de piedra. Mar de piedra. Nadie.
Arrodillada cava las arenas,
cava la piedra con las uñas rotas.
¿A qué desenterrar del polvo estatuas?
La boca de los muertos está muerta.
Sobre la alfombra junta las figuras
de su rompecabezas infinito.
Y siempre falta una, sólo una,
y nadie sabe dónde está, secreta.
En la sala platican las visitas.
El viento gime en el jardín en sombras.
Está enterrada al pie del árbol. ¿Quién?
La llave, la palabra, la sortija ...
Pero es muy tarde ya, todos se han ido,
su madre sola al pie de la escalera

II

Among the levels of space the young girl turns,
Wandering clouds, the whirlwinds and the air.
The whole sky is a single mouth that yawns,
a shark's mouth open in the laughter of
those sharpened lightnings, stars.
Clothed in white lilies, she comes near
and while he is asleep she pulls his teeth
and hurls them out into the air of myth:
glittering islands, the stars fallen down,
the scattered salt is fallen on the cloth,
the wounded heron in a rain of plumes,
broken is the guitar, broken the glass,
mirror and moon both in their fragments down.
And the statue fallen. Its virile limbs
twisted and writhed in the dust, and they were alive.

III

Rocks and the sea. The sun in its old age
burns up the rocks embittered by the sea.
Sky of stone. Sea of stone. No one.
Down on her knees, she is digging at the sand,
digging the stone out with her broken nails.
What sense is there in digging statues out of dust?
The mouth of the dead, the mouth of the dead is dead.
On this carpet, she joins the figures of
an infinite puzzle of dismemberment.
And always one missing, always only one,
and no one knows where this one can be hidden.
The talk of visitors in the drawing room,
the whining of the wind in the shadowed garden.
Buried deep at the foot of the tree. Who is?
The one key, the one word, the ring . . .
But it is too late now, everything is dark,
only your mother at the foot of the staircase

es una llama que se desvanece
y crece la marea de lo oscuro
y borra los peldaños uno a uno
y se aleja el jardín y ella se aleja
en la noche embarcada . . .

IV

Al pie del árbol otra vez. No hay nada:
latas, botellas rotas, un cuchillo,
los restos de un domingo ya oxidado.
Muge el toro sansón, herido y solo
por los sinfines de la noche en ruinas
y por los prados amarillos rondan
el león calvo, el tigre despintado,
Ella se aleja del jardín desierto
y por calles lluviosas llega a casa.
Llama, mas nadie le contesta; avanza
y no hay nadie detrás de cada puerta
y va de nadie a puerta hasta que llega
a la última puerta, la tapiada,
la que el padre cerraba cada noche.
Busca la llave pero se ha perdido,
la golpea, la araña, la golpea,
durante siglos la golpea
y la puerta es más alta a cada siglo
y más cerrada y puerta a cada golpe.
Ella ya no la alcanza y sólo aguarda
sentada en su sillita que alguien abra:
Señor, abre las puertas de tu nube,
abre tus cicatrices mal cerradas,
llueve sobre mis senos arrugados,
llueve sobre los huesos y las piedras,
que tu semilla rompa la corteza,
la costra de mi sangre endurecida.

is there, she is a flame that vanishes
and the tide of darkness rises
and erases one by one the rising stairs
and the garden withdraws and she withdraws
sailing into the night . . .

IV

At the foot of the tree again. There is nothing here:
a few cans, broken bottles, and a knife,
the remains of a Sunday that is rusty now.
Bellowing of the bull Samson, alone
and wounded in the endlessness of night, in ruins
and ranging over the yellow countryside
the maneless lion, the disfigured tiger.
She has gone out of the deserted garden,
by rainy avenues reaches the house.
She rings, but no one answers; she goes through
and there is no one behind any door,
she goes from door to no one, and she reaches
the final door, the one that is walled-up,
the one that her father locked up every night.
She looks for the key but she has lost the key,
she knocks at the door, she claws at it, she knocks,
for centuries she knocks
and every century the door is higher,
a more locked door at each knock.
She is no longer trying, but simply waiting,
sitting in her little chair, until someone opens it;
Lord, open the doors of this your cloud,
open the scars of your wounds that are barely closed,
rain your rain down on my wrinkled breasts,
rain down on the bones and on the stones,
let your seed come and break the rind,
the hardened crust of my blood.

Devuélveme a la noche del Principio,
de tu costado desprendida sea
planeta opaco que tu luz enciende.

Berkeley, 1944

La poesía

A Luis Cernuda

¿Por qué tocas mi pecho nuevamente?
Llegas, silenciosa, secreta, armada,
tal los guerreros a una ciudad dormida;
quemas mi lengua con tus labios, pulpo,
y despiertas los furores, los goces,
y esta angustia sin fin
que enciende lo que toca
y engendra en cada cosa
una avidez sombría.

El mundo cede y se desploma
como metal al fuego.
Entre mis ruinas me levanto,
solo, desnudo, despojado,
sobre la roca inmensa del silencio,
como un solitario combatiente
contra invisibles huestes.

Verdad abrasadora,
¿a qué me empujas?
No quiero tu verdad,
tu insensata pregunta.
¿A qué esta lucha estéril?
No es el hombre criatura capaz de contenerte,
avidez que sólo en la sed se sacia,
llama que todos los labios consume,

Take me back to the night of Origin,
and from your side let me be taken out
an opaque planet on fire with your light.

Poetry

To Luis Cernuda

Why do you touch my breast with a new touch?
You come in, silent, secret, with your weapons,
as warriors come to a sleeping city;
you burn my tongue with your lips, this pulp,
and you awaken the rages, the delights,
the endless anguish
which where it touches sets on fire
engendering in everything
sombre avidities.

The world topples and yields
like metal in fire.
Among my disasters I rise,
alone, stripped, despoiled,
under the enormous precipice of silence,
like the last combatant
against invisible hosts.

Truth that embraces me,
heading me—where?
I do not want your truth,
your senseless question.
Why fight this sterile fight?
Man is not the creature able to hold you,
avidity that can slake itself only in thirst,
flame that consumes all lips,

espíritu que no vive en ninguna forma,
mas hace arder todas las formas
con un secreto fuego indestructible.

Pero insistes, lágrima escarnecida,
y alzas en mí tu imperio desolado.

Subes desde lo más hondo de mí,
desde el centro innombrable de mi ser,
ejército, marea.
Creces, tu sed me ahoga,
expulsando, tiránica,
aquello que no cede
a tu espada frenética.
Ya sólo tú me habitas,
tú, sin nombre, furiosa sustancia,
avidez subterránea, delirante.

Golpean mi pecho tus fantasmas,
despiertas a mi tacto,
hielas mi frente
y haces proféticos mis ojos.

Percibo el mundo y te toco,
sustancia intocable,
unidad de mi alma y de mi cuerpo,
y contemplo el combate que combato
y mis bodas de tierra.

Nublan mis ojos imágenes opuestas,
y a las mismas imágenes
otras, más profundas, las niegan,
ardiente balbuceo,
aguas que anega un agua más oculta y densa.
En su húmeda tiniebla vida y muerte,
quietud y movimiento, son lo mismo.

spirit that does not live in any form
but causes all the forms to burn
with a secret fire, indestructible.

But you insist, you tear of mockery,
and you erect in me your stricken empire.

You rise from the furthest depth in me,
from the unnamable center of my being,
army and tide.
You grow, your thirst drowns me,
tyrant, driving out
anyone not yielding
to your mad sword.
Now you alone live in me,
you, nameless, a raging substance,
buried avidity, raving.

Your spectres hammer my breast,
aroused at my touch,
you freeze my forehead
and make prophets of my eyes.

I perceive the world and I touch you,
substance untouchable,
wholeness of my soul and my body,
I contemplate the conflict, my conflict
and my earth wedding.

Images of opposites cloud my eyes over,
and with these images
others, profounder, deny even these,
passionately among my babblings,
waters obliterating a secret, denser water.
In their wet darkness life and death,
movement and stillness, are the same.

Insiste, vencedora,
porque tan sólo existo porque existes,
y mi boca y mi lengua se formaron
para decir tan sólo tu existencia
y tus secretas sílabas, palabra
impalpable y despótica,
sustancia de mi alma.

Eres tan sólo un sueño,
pero en ti sueña el mundo
y su mudez habla con tus palabras.

Rozo al tocar tu pecho
la eléctrica frontera de la vida,
la tiniebla de sangre
donde pacta la boca cruel y enamorada,
ávida aún de destruir lo que ama
y revivir lo que destruye,
con el mundo, impasible
y siempre idéntico a sí mismo,
porque no se detiene en ninguna forma,
ni se demora sobre lo que engendra.

Llévame, solitaria,
llévame entre los sueños,
llévame, madre mía,
despiértame del todo,
hazme soñar tu sueño,
unta mis ojos con tu aceite,
para que al conocerte me conozca.

México, 1940

Persist, conqueror,
since I exist only by your existence,
and my mouth and my tongue take their form
only for the sake of saying you exist
and your secret syllables, tyrant
impalpable word,
substance of my soul.

For you are only a dream,
but in you the world dreams
and its muteness speaks with your words.

When I touch your breast I brush against
the electric boundary of life,
the tenebrae of blood
where is appeased the cruel amorous mouth,
still avid to destroy the thing it loves
and to revive the thing that it destroys,
appeased in a pact with the impassive world,
identical forever with itself,
because it does not stay in any form,
nor does it linger over its creation.

Take me, you who are woman and solitary,
take me among the dreams,
take me, my mother,
awaken me wholly,
make me dream your dream,
anoint my eyes with your oil,
so that in knowing you I know myself.

El prisionero

(HOMENAJE Á D.A.F. DE SADE)

> *a fin que ... les traces de ma tombe dispa-*
> *raissent de dessus la surface de la terre*
> *comme je me flatte que ma mémoire s'effa-*
> *cera de l'esprit des hommes ...*
>
> TESTAMENTO DE SADE

No te has desvanecido.
Las letras de tu nombre son todavía una cicatriz que no se cierra,
un tatuaje de infamia sobre ciertas frentes.

Cometa de pesada y rutilante cola dialéctica,
atraviesas el siglo diecinueve con una granada de verdad en la
     mano
y estallas al llegar a nuestra época.

Máscara que sonríe bajo un antifaz rosa,
hecho de párpados de ajusticiado,
verdad partida en mil pedazos de fuego,
¿qué quieren decir todos esos fragmentos gigantescos,
esa manada de icebergs que zarpan de tu pluma y en alta mar
   enfilan hacia costas sin nombre,
esos delicados instrumentos de cirugía para extirpar el chancro
     de Dios,
esos aullidos que interrumpen tus majestuosos razonamientos
     de elefante,
esas repeticiones atroces de relojería descompuesta,
toda esa oxidada herramienta de tortura?

El erudito y el poeta,
el sabio, el literato, el enamorado,
el maníaco y el que sueña en la abolición de nuestra siniestra
     realidad,
disputan como perros sobre los restos de tu obra.

The Prisoner

(H O M A G E   T O   D . A . F .   D E   S A D E)

> *a fin que . . . les traces de ma tombe dispa-*
> *raissent de dessus la surface de la terre*
> *comme je me flatte que ma mémoire s'effa-*
> *cera de l'esprit des hommes . . .*
>
> TESTAMENT OF SADE

You have not disappeared.
The letters of your name are still a scar that will not heal,
the tattoo of disgrace on certain faces.

Comet whose body is substance, whose tail glitters in dialectics,
you rush through the nineteenth century holding a grenade of
   truth,
exploding as you come to our own time.

A mask that smiles beneath a veil of pink
made of the eyelids of the executed,
truth broken into a thousand flames of fire.
What is the meaning of those giant fragments,
that herd of icebergs sailing from your pen and from the high
   seas heading toward the nameless coasts?
those delicate surgical instruments made for cutting away the
   chancre of God?
those howls interrupting your kingly elephant thoughts?
the frightful striking of out-of-order clocks?
all of that rusty armament of torture?

The learned man and the poet,
the scholar, the writer, the lover,
the maniac and the man who dreams destruction for our
   perverse reality,
they fight like dogs over the bones of your work.

Tú, que estabas contra todos,
eres ahora un nombre, un jefe, una bandera.

Inclinado sobre la vida como Saturno sobre sus hijos,
recorres con fija mirada amorosa
los surcos calcinados que dejan el semen, la sangre y la lava.
Los cuerpos, frente a frente como astros feroces,
están hechos de la misma sustancia de los soles.
Lo que llamamos amor o muerte, libertad o destino,
¿no se llama catástrofe, no se llama hecatombe?
¿Dónde están las fronteras entre espasmo y terremoto,
entre erupción y cohabitación?

Prisionero en tu castillo de cristal de roca
cruzas galerías, cámaras, mazmorras,
vastos patios donde la vid se enrosca a columnas solares,
graciosos cementerios donde danzan los chopos inmóviles.
Muros, objetos, cuerpos te repiten.
¡Todo es espejo!
Tu imagen te persigue.

El hombre está habitado por silencio y vacío.
¿Cómo saciar esta hambre,
cómo acallar este silencio y poblar su vacío?
¿Cómo escapar a mi imagen?
Sólo en mi semejante me trasciendo,
sólo su sangre da fe de otra existencia.
Justina solo vive por Julieta,
las víctimas engendran los verdugos.
El cuerpo que hoy sacrificamos
¿no es el Dios que mañana sacrifica?

La imaginación es la espuela del deseo,
su reino es inagotable e infinito como el fastidio,
su reverso y gemelo.
Muerte o placer, inundación o vómito,
otoño parecido al caer de los días,

You who stood against all of them,
you are today a name, a leader, a banner.

Bending over life like Saturn over his sons
you scan with your steady look of love
the whitened ridges left by semen, blood, lava.
These bodies, face to face like blazing stars,
are made of the same substance as the suns.
We call this love or death; liberty, doom.
Is it catastrophe? Is it the grave of man?
Where is the borderline between spasm and earthquake,
eruption and coitus?

Prisoner in your castle of crystal of rock
you pass through dungeons, chambers and galleries,
enormous courts whose vines twist on sunny pillars,
seductive graveyards where the still black poplars dance.
Walls, things, bodies, reflecting you.
All is mirror!
Your image follows you.

Man is inhabited by silence and by space.
How can this hunger be met and satisfied?
How can you still the silence? How can the void be filled?
How can my image ever be escaped?
Only in my likeness can I transcend myself
only his blood affirms another life.
Justine is alive only through Juliette,
the victims breed their executioners.
This body which today we sacrifice,
is it not the god who tomorrow will sacrifice?

Imagination is desire's spur,
whose territory is endless, it is infinite as aversion,
its opposite and twin.
Pleasure or death, vomit or flooding in,
autumn, resembling the going down of day,

volcán o sexo,
soplo, verano que incendia las cosechas,
astros o colmillos,
petrificada cabellera del espanto,
espuma roja del deseo, matanza en alta mar,
rocas azules del delirio,
formas, imágenes, burbujas, hambre de ser,
eternidades momentáneas,
desmesuras: tu medida de hombre.
Atrévete:
la libertad es la elección de la necesidad.
Sé el arco y la flecha, la cuerda y el ay.
El sueño es explosivo. Estalla. Vuelve a ser sol.

En tu castillo de diamante tu imagen se destroza y se rehace,
   infatigable.

Aviñón, 1948

sex or volcano,
a gust of wind, summer that sets the fields on fire,
eye-teeth or stars,
the stony hair of dread,
red foam of desire, slaughter on the high seas,
and the blue rocks of delirium,
forms, images, gurgles, and the rage for life,
eternities in flashes,
excesses: your measure of a man.
Now dare:
freedom is willingness toward necessity.
Be the arrow, the bow, the chord and the cry.
Dream is explosive. It bursts. Becomes again sun.

In your diamond castle, your image destroys itself, remakes
    itself, tireless.

de LA ESTACIÓN VIOLENTA

Himno entre ruinas

donde espumoso el mar siciliano . . .

GÓNGORA

Coronado de sí el día extiende sus plumas.
¡Alto grito amarillo,
caliente surtidor en el centro de un cielo
imparcial y benéfico!
Las apariencias son hermosas en esta su verdad momentánea.
El mar trepa la costa,
se afianza entre las peñas, araña deslumbrante;
la herida cárdena del monte resplandece;
un puñado de cabras es un rebaño de piedras;
el sol pone su huevo de oro y se derrama sobre el mar.
Todo es dios.
¡Estatua rota,
columnas comidas por la luz,
ruinas vivas en un mundo de muertos en vida!

Cae la noche sobre Teotihuacán.
En lo alto de la pirámide los muchachos fuman marihuana,
suenan guitarras roncas.
¿Qué yerba, qué agua de vida ha de darnos la vida,
dónde desenterrar la palabra,
la proporción que rige al himno y al discurso,

Hymn Among Ruins

where foaming the Sicilian sea . . .
GONGORA

Crowned with itself, day stretches out its plumes.
A high and yellow cry,
a fountain of heat at the center of a sky
just and beneficent!
The seemings are lovely in this their moment of truth.
The sea mounting the coast
holds fast between the rocks, a dazzling spider;
the livid wound on the mountain glitters;
a few goats are a flock of stones,
the sun lays its golden egg, spilling over the sea.
All is god.
A broken statue,
pillars bitten by light,
ruins alive in a world of death in life!

Night falls over Teotihuacan.
High on the pyramid the boys smoke marijuana,
music of harsh guitars.
What grass, what water of life can give us life,
where will the word see light again,
the proportion that governs hymn and speech,

al baile, a la ciudad y a la balanza?
El canto mexicano estalla en un carajo,
estrella de colores que se apaga,
piedra que nos cierra las puertas del contacto.
Sabe la tierra a tierra envejecida.

Los ojos ven, las manos tocan.
Bastan aquí unas cuantas cosas:
tuna, espinoso planeta coral,
higos encapuchados,
uvas con gusto a resurrección,
almejas, virginidades ariscas,
sal, queso, vino, pan solar.
Desde lo alto de su morenía una isleña me mira,
esbelta catedral vestida de luz.
Torres de sal, contra los pinos verdes de la orilla
surgen las velas blancas de las barcas.
La luz crea templos en el mar.

Nueva York, Londres, Moscú.
La sombra cubre al llano con su yedra fantasma,
con su vacilante vegetación de escalofrío,
su vello ralo, su tropel de ratas.
A trechos tirita un sol anémico.
Acodado en montes que ayer fueron ciudades, Polifemo bosteza.
Abajo, entre los hoyos, se arrastra un rebaño de hombres.
(Bípedos domésticos, su carne
—a pesar de recientes interdicciones religiosas—
es muy gustada por las clases ricas.
Hasta hace poco el vulgo los consideraba animales impuros.)

Ver, tocar formas hermosas, diarias.
Zumba la luz, dardos y alas.
Huele a sangre la mancha de vino en el mantel.
Como el coral sus ramas en el agua
extiendo mis sentidos en la hora viva:
el instante se cumple en una concordancia amarilla,

the dance, the city and the balances?
Mexican song exploding in a curse,
a star of colors that goes dark,
a stone sealing the gateway of our contact.
The earth tastes of worn-out earth.

Eyes see, hands touch.
A few things are enough:
prickly pear, the coral and thorny planet,
the hooded figs,
grapes tasting of resurrection
and clams, stubborn virginities,
salt, cheese, wine, bread of the sun.
From her high darkness an island girl looks at me,
a slim cathedral clothed in light.
Towers of salt, seen by the shore's green pines,
the white sails of the boats rise up.
Light builds its temples on the sea.

New York, London, Moscow.
Shadow creeps on the plain in phantom ivy,
swaying and shivering racemes,
its sparse down, its ratswarm.
Sometimes the weak sun shivers.
Reclining on hills that once were cities, Polyphemus yawns.
Down there, among the pits, a flock of men, dragging along.
(Domesticated, two-legged, their flesh
—recent religious penalties notwithstanding—
a delicacy for the wealthy class.
Only yesterday the common people considered them unclean.)

To see, to feel the lovely daily forms.
Buzzing of light, arrows, and wings.
It smells of blood, this winestain on the table.
Like the branches of coral stretched out in the water
I stretch my senses in the living hour:
the moment is complete, a yellow harmony.

¡oh mediodía, espiga henchida de minutos,
copa de eternidad!

*Mis pensamientos se bifurcan, serpean, se enredan,
recomienzan,
y al fin se inmovilizan, ríos que no desembocan,
delta de sangre bajo un sol sin crepúsculo.
¿Y todo ha de parar en este chapoteo de aguas muertas?*

¡Día, redondo día,
luminosa naranja de veinticuatro gajos,
todos atravesados por una misma y amarilla dulzura!
La inteligencia al fin encarna,
se reconcilian las dos mitades enemigas
y la conciencia-espejo se licúa,
vuelve a ser fuente, manantial de fábulas:
Hombre, árbol de imágenes,
palabras que son flores que son frutos que son actos.

Nápoles, 1948

Máscaras del alba

Sobre el tablero de la plaza
se demoran la últimas estrellas.
Torres de luz y alfiles afilados
cercan las monarquías espectrales,
¡Vano ajedrez, ayer combate de ángeles!

Fulgor de agua estancada donde flotan
pequeñas alegrías ya verdosas,
la manzana podrida de un deseo,
un rostro recomido por la luna,
el minuto arrugado de una espera,
todo lo que la vida no consume,
los restos del festín de la impaciencia.

Noon, rod of wheat heavy with minutes,
drink of eternity.

My thoughts are split, wind, entwine,
start again
and finally stand immobile, endless rivers,
delta of blood beneath a sun without twilight.
Must it all end in this splash of dead water?

Day, round day,
luminous orange with twenty-four sections,
all saturated with one single yellow sweetness!
Intelligence finally takes flesh in form
and the two enemy halves are reconciled—
now the conscience-mirror liquefies
and is a spring again, a fountain of legends:
Man, tree of images,
words that are flowers that are fruit that are the deeds.

Masks of Dawn

Over the chessboard of the piazza
the last stars linger on their way.
Castles of light and shimmering thin bishops
surround these spectral monarchies.
The empty game, yesterday's war of angels!

Brilliance of stagnant water whereon float
a few small joys, already green,
the rotten apple of desire,
a face nibbled in places by the moon,
the wrinkled minute of an eagerness,
everything life itself has not consumed,
leavings of the orgy of impatience.

Abre los ojos el agonizante.
Esa brizna de luz que tras cortinas
espía al que la expía entre estertores
es la mirada que no mira y mira,
el ojo en que espejean las imágenes
antes de despeñarse, el precipicio
cristalino, la tumba de diamante:
es el espejo que devora espejos.

Olivia, la ojizarca que pulsaba,
las blancas manos entre cuerdas verdes,
el arpa de cristal de la cascada,
nada contra corriente hasta la orilla
del despertar: la cama, el haz de ropas,
las manchas hidrográficas del muro,
ese cuerpo sin nombre que a su lado
mastica profecías y rezongos
y la abominación del cielo raso.
Bosteza lo real sus naderías,
se repite en horrores desventrados.

El prisionero de sus pensamientos
teje y desteje su tejido a ciegas,
escarba sus heridas, deletrea
las letras de su nombre, las dispersa,
y ellas insisten en el mismo estrago:
se engastan en su nombre desgastado.
Va de sí mismo hacia sí mismo, vuelve,
en el centro de sí se para y grita
¿quién va? y el surtidor de su pregunta
abre su flor absorta, centellea,
silba en el tallo, dobla la cabeza,
y al fin, vertiginoso, se desploma
roto como la espada contra el muro.

La joven domadora de relámpagos
y la que se desliza sobre el filo
resplandeciente de la guillotina;

The man in his death-struggle opens his eyes.
That splinter of light that through the curtains spies
on the one expiating among the death-rattles
is the look which does not look but looks,
the eye in whom the images form and shine
before they are scattered, and the glassy
precipice, and the grave of diamond:
this is the mirror that devours mirrors.

Olivia, blue-eyed lightly-touching woman,
white hands between the greenness of the cords,
the harp of crystal of the waterfall,
she swims against the current to the shore
of waking: the bed, the heap of clothes,
the hydrographic stains upon the wall,
that nameless body who beside her lies
chewing on prophecies and mutterings
and the abomination of an empty sky.
Reality gaping among her idiocies,
repeated in disemboweled horrors.

The prisoner of his imagining
weaves and unravels his weaving sightlessly,
scrapes at his scars, plays games
with the letters of his name, scatters them,
and then they insist on the same havoc,
set in the setting of his corroded name.
He goes from himself toward himself, he turns,
in the center of himself he stops and shouts
Who's there? and the fountain of his questioning
opens its amazed flower, glistens,
its stalk hisses, it bends its head,
and finally, in its dizziness collapses,
shattered like the sword against the wall.

A young girl, tamer of the lightning-bolt;
and the woman slipping away along under
the glittering fine edge of the guillotine;

el señor que desciende de la luna
con un fragante ramo de epitafios;
la frígida que lima en el insomnio
el pedernal gastado de su sexo;
el hombre puro en cuya sien anida
el águila real, la cejijunta
voracidad de un pensamiento fijo;
el árbol de ocho brazos anudados
que el rayo del amor derriba, incendia
y carboniza en lechos transitorios;
el enterrado en vida con su pena;
la joven muerta que se prostituye
y regresa a su tumba al primer gallo;
la víctima que busca a su asesino;
el que perdió su cuerpo, el que su sombra,
el que huye de sí y el que se busca
y se persigue y no se encuentra, todos,
vivos muertos al borde del instante
se detienen suspensos. Duda el tiempo,
el día titubea.
       Soñolienta
en su lecho de fango, abre los ojos
Venecia y se recuerda: ¡pabellones
y un alto vuelo que se petrifica!
Oh esplendor anegado . . .
Los caballos de bronce de San Marcos
cruzan arquitecturas que vacilan,
descienden verdinegros hasta el agua
y se arrojan al mar, hacia Bizancio.

Oscilan masas de estupor y piedra,
mientras los pocos vivos de esta hora . . .
Pero la luz avanza a grandes pasos,
aplastando bostezos y agonías.
¡Júbilos, resplandores que desgarran!
El alba lanza su primer cuchillo.

Venecia, 1948

the gentleman who from the moon descends
with a sweet-smelling branch of epitaphs;
the frigid sleepless woman sharpening
the useless wornout flint-stone of her sex;
the man of purity, within whose forehead
the golden eagle makes his nest,
the monomaniac hunger of obsession;
the tree that has eight withered-away branches
struck down by the bolt of love, set on fire
and burned to ash in transitory beds;
the man buried in life among his grief,
the young dead woman who prostitutes herself
and goes back to her grave at the first cock;
the victim searching out his murderer;
he who has lost his body, and he his shadow,
he who escapes himself and he who hunts himself,
who pursues himself and never finds himself, all those,
the living corpses on the edge of the moment,
wait suspended. Time itself in doubt,
day hesitates.
           Moving in dream,
upon her bed of mire and water, Venice
opens her eyes and remembers: canopies,
and a high soaring that has turned to stone!
O splendor flooded over . . .
The bronze horses of San Marco
pass wavering architecture,
go down in their green darkness to the water
and throw themselves in the sea, toward Byzantium.

Volumes of stupor and stone, back and forth
in this hour among the few alive . . .
But in the light advances in great strides,
shattering yawns and agonies.
Exultance, radiances that tear apart!
Dawn throws its first knife.

Fuente

El mediodía alza en vilo al mundo.
Y las piedras donde el viento borra lo que a ciegas escribe el
    tiempo,
las torres que al caer la tarde inclinan la frente,
la nave que hace siglos encalló en la roca, la iglesia de oro que
    tiembla al peso de una cruz de palo,
las plazas donde si un ejército acampa se siente desamparado y
    sin defensa,
el Fuerte que hinca la rodilla ante la luz que irrumpe por la
    loma,
los parques y el corro cuchicheante de los olmos y los álamos,
las columnas y los arcos a la medida exacta de la gloria,
la muralla que abierta al sol dormita, echada sobre sí misma,
    sobre su propia hosquedad desplomada,
el rincón visitado sólo por los misántropos que rondan las
    afueras: el pino y el sauce,
los mercados bajo el fuego graneado de los gritos,
el muro a media calle, que nadie sabe quién edificó ni con qué
    fin, el desollado, el muro en piedra viva,
todo lo atado al suelo por amor de materia enamorada, rompe
    amarras
y asciende radiante entre las manos intangibles de esta hora.

El viejo mundo de las piedras se levanta y vuela.
Es un pueblo de ballenas y delfines que retozan en pleno cielo,
    arrojándose grandes chorros de gloria;
y los cuerpos de piedra, arrastrados por el lento huracán de
    calor,
escurren luz y entre las nubes relucen, gozosos.
La ciudad lanza sus cadenas al río y vacía de sí misma,
de su carga de sangre, de su carga de tiempo, reposa
hecha un ascua, hecha un sol en el centro del torbellino.
El presente la mece.

Todo es presencia, todos los siglos son este Presente.

Fountain

Noonday raises a world in flight.
And the rocks where wind wipes out all that gropingly time
    writes,
towers that bend their heads with falling afternoon,
the ship that centuries ago ran aground on the rock, the golden
    church that shakes under the weight of a cross of sticks,
plazas where an army encamped feels helpless, defenseless,
the Leader who kneels before light irrupting through the foot-
    hills,
the parks and those whispering gossips, the elms and the wil-
    lows,
pillars and arches to the exact measure of glory,
the drowsy wall that opens to the sun, fallen down on itself,
    collapsed of its own arrogance,
the corner visited only by misanthropes who walk the suburbs at
    night: the pine and the poplar,
markets under the drumfire of shouts,
the wall in the middle of the street, built no-one knows why,
    meant to end no-one knows where, ruined, the wall of living
    rock,
everything bound to earth for love of matter in love breaks
    bounds
and rises in brilliance in the intangible hands of this hour.

The old world of the rocks rises in flight.
It is a tribe of whales and dolphins that play in full sky, throw-
    ing one another great spouts of glory;
and the bodies of stone, dragged by the slow hurricane of light,
drip light, and in delight among the clouds they glitter.
The city hurls its chains into the river and emptied of itself,
its burden of blood, its burden of time, it rests
transformed into a live coal, a sun in a whirlwind.
The present is rocking it.

All is presence, all the centuries are this Present.

¡Ojo feliz que ya no mira porque todo es presencia y su propia
visión fuera de sí lo mira!
¡Hunde la mano, coge el fulgor, el pez solar, la llama entre lo
azul,
el canto que se mece en el fuego del día!
Y la gran ola vuelve y me derriba, echa a volar la mesa y los
papeles y en lo alto de su cresta me suspende,
música detenida en su más, luz que no pestañea, ni cede, ni
avanza.
Todos es presente, espejo sin revés: no hay sombra, no hay lado
opaco, todo es ojo,
todo es presencia, estoy presente en todas partes y para ver
mejor, para mejor arder, me apago
y caigo en mí y salgo de mí y subo hasta el cohete y bajo hasta
el hachazo
porque la gran esfera, la gran bola de tiempo incandescente,
el fruto que acumula todos los jugos de la historia, la presencia,
el presente, estalla
como un espejo roto al mediodía, como un mediodía roto contra
el mar y la sal.

Toco la piedra y no contesta, cojo la llama y no me quema,
¿qué esconde esta presencia?
No hay nada atrás, las raíces están quemadas, podridos los
cimientos,
basta un manotazo para echar abajo esta grandeza.
¿Y quién asume la grandeza si nadie asume el desamparo?
Penetro en mi oquedad: yo no respondo, no me doy la cara,
perdí el rostro después de haber perdido cuerpo y alma.
Y mi vida desfila ante mis ojos sin que uno solo de mis actos lo
reconozca mío:
¿y el delirio de hacer saltar la muerte con el apenas golpe de
alas de una imagen
y la larga noche pasada en esculpir el instantáneo cuerpo del
relámpago

Happy the eye which no longer looks, for all is presence and its own vision from outside itself looks at it!

The hand plunges, it grasps the brilliance, the solar fish, the flame in that blue,

the song that is rocking in the fire of day!

And the great wave turns and throws me down, it scatters the table and the papers and it suspends me from the top of its crest,

music is at its most, light unwinking, unyielding, unmoving.

All is present, mirror without a back: there is no shadow, no opaque side, all is eye,

all is presence, everywhere I am present and to see better, to burn better, I die out

and fall into myself and cease as myself and rise with the rocket and drop with the axe-blow

because the great sphere, that incandescent and great ball of time,

that fruit that concentrates all the juices of history, the presence, the present, bursts

like a mirror broken at noonday, like a noonday broken on salt and the sea.

I touch the rock, it does not answer, I grasp the flame, it does not burn me,—what does this presence hide?

There is nothing behind, the roots are parched, the cement is now powder,

one clip would do to bring low this greatness.

Who will assume the greatness if no-one assumes the helplessness?

Penetrating my hollowness: I don't respond, I don't face up to myself,

I lost face after I lost body and soul.

And my life passes before my eyes without my recognizing one of my acts as mine:

—and the rapture of having made death jump with a barely wingblow of an image

and the long night spent in sculpturing the sudden body of lightning

y la noche de amor puente colgante entre esta vida y la otra?

No duele la antigua herida, no arde la vieja quemadura, es una
cicatriz casi borrada
el sitio de la separación, el lugar del desarraigo, la boca por
donde hablan en sueños la muerte y la vida
es una cicatriz invisible.
Yo no daría la vida por mi vida: es otra mi verdadera historia.

La ciudad sigue en pie.
Tiembla en la luz, hermosa.
Se posa el sol en su diestra pacífica.
Son más altos, más blancos, los chorros de las fuentes.
Todo se pone en pie para caer mejor.
Y el caído bajo el hacha de su propio delirio se levanta.
Malherido, de su frente hendida brota un último pájaro.
Es el doble de sí mismo,
el joven que cada cien años vuelve a decir unas palabras, siempre
las mismas,
la columna transparente que un instante se oscurece y otro
centellea,
según avanza la veloz escritura del destino.
En el centro de la plaza la rota cabeza del poeta es una fuente.
La fuente canta para todos.

Aviñon, 1950

Repaso nocturno

Toda la noche batalló con la noche,
ni vivo ni muerto,
a tientas penetrando en su sustancia,
llenándose hasta el borde de sí mismo.

Primero fue el extenderse en lo oscuro,
hacerse inmenso en lo inmenso,

and the night of love, a swinging bridge between this life and
    the other?

The ancient wound does not hurt, the old burn does not sting,
    the scar is nearly obliterated
of the place of separation, the point of expulsion, the mouth
    through which death and life speak in their sleep
is now an invisible scar.
I would not give life for my life: my true story is otherwise.

The city is up and alert.
It is lovely, it quivers in the sun.
The sun comes to rest on its peaceful right hand.
The jets of the fountains are taller, whiter.
Everything stands tall to make a finer fall.
And he who has fallen under the axe of his own wildness gets up.
He has a grievous wound, from his split forehead bursts one last
    bird.
It is his own double,
the young man who every century says a few words again, always
    the same words,
the clear pillar which at one moment darkens and at the next
    glitters,
advancing with the swift hand of destiny as it writes.
In the center of the plaza the broken head of the poet is a
    fountain.
The fountain sings for all.

The Middle of the Night

    All of the night in conflict with the night,
    neither alive nor dead,
    groping, penetrating its substance,
    pouring in up to the brim of itself.

    At first, there was the extending into the dark,
    making itself immense in the immense,

reposar en el centro insondable del reposo.
Fluía el tiempo, fluía su ser,
fluían en una sola corriente indivisible.
A zarpazos somnolientos el agua caía y se levantaba,
se despeñaban alma y cuerpo, pensamiento y huesos:
¿pedía redención el tiempo,
pedía el agua erguirse, pedía verse,
vuelta transparente monumento de su caída?
Río arriba, donde lo no formado empieza,
al agua se desplomaba con los ojos cerrados.
Volvía el tiempo a su origen, manándose.

Allá, del otro lado, un fulgor le hizo señas.
Abrió los ojos, se encontró en la orilla:
ni vivo ni muerto,
al lado de su cuerpo abandonado.
Empezó el asedio de los signos,
la escritura de sangre de la estrella en el cielo,
las ondas concéntricas que levanta una frase
al caer y caer en la conciencia.
Ardió su frente cubierta de inscripciones,
santo y señas súbitos abrieron laberintos y espesuras,
cambiaron reflejos tácitos los cuatro puntos cardinales.
Su pensamiento mismo, entre los obeliscos derribado,
fue piedra negra tatuada por el rayo.
Pero el sueño no vino.

¡Ciega batalla de alusiones,
oscuro cuerpo a cuerpo con el tiempo sin cuerpo!
Cayó de rostro en rostro,
                    de año en año,
hasta el primer vagido:
                    humus de vida,
tierra que se destierra,
                    cuerpo que se desnace,
vivo para la muerte,
                    muerto para la vida.

coming to rest in the unsoundable center of rest.
Time flowed, its being flowed,
they flowed in one single indivisible current.
In sleep-heavy paw-strokes the water fell and rose,
soul, body plummeted, thought and bones:
was it time, begging for redemption,
was water begging to be erect, begging to see itself,
become a transparent monument to its fall?
Up river, where the unformed begins,
water leaned over and fell, its eyes were closed.
Time returned to its origin, flowing out.

Far out, on the other side, a blaze signalled to it.
It opened its eyes, found itself on the shore:
neither alive nor dead,
beside its abandoned body.
Then began the siege of signals,
the star's writing on the sky in blood,
concentric circles by a sentence lifted
falling and falling in consciousness.
His head on fire, covered with inscriptions,
unforeseen passwords opened mazes and densities,
silent mirrors transformed the four directions.
The thought itself, torn down among obelisks,
was black stone tattooed by lightning-stroke.
But sleep did not come.

Blind battle of allusions,
dark hand-to-hand combat against handless time!
He fell from face to face,
                    from year to year,
to the first newborn cry:
                    humus of life,
land that strips itself,
                    body again unborn,
alive to death,
          dead to life.

(A esta hora hay mediadores en todas partes,
hay puentes invisibles entre el dormir y el velar.
Los dormidos muerden el racimo de su propia fatiga,
el racimo solar de la resurrección cotidiana;
los desvelados tallan el diamante que ha de vencer a la noche;
aun los que están solos llevan en sí su pareja encarnizada,
en cada espejo yace un doble,
un adversario que nos refleja y nos abisma;
el fuego precioso oculto bajo la capa de seda negra,
el vampiro ladrón dobla la esquina y desaparece, ligero,
robado por su propia ligereza;
con el peso de su acto a cuestas
se precipita en su dormir sin sueño el asesino,
ya para siempre a solas, sin el otro;
abandonados a la corriente todopoderosa,
flor doble que brota de un tallo único,
los enamorados cierran los ojos en lo alto del beso:
la noche se abre para ellos y les devuelve lo perdido,
las palabras dormidas en los labios del agua, en la frente del
árbol, en el pecho del monte,
el vino negro en la copa hecha de una sola gota de sol,
la visión doble, la mariposa fija por un instante en el centro del
cielo,
en el ala derecha un grano de luz y en la izquierda uno de
sombra.
Reposa la ciudad en los hombros del obrero dormido,
la semilla del canto se abre en la frente del poeta.)

El escorpión ermitaño en la sombra se aguza.
¡Noche en entredicho,
instante que balbucea y no acaba de decir lo que quiere!
¿Saldrá mañana el sol,
se anega el astro en su luz,
se ahoga en su cólera fija?
¿Cómo decir buenos días a la vida?
No preguntes más,
no hay nada que decir, nada tampoco que callar.
El pensamiento brilla, se apaga, vuelve,

(At this time there are mediators everywhere,
there are invisible bridges between sleep and waking.
The sleepers bite the grapes of tiredness,
the solar cluster of daily resurrection;
the sleepless are cutting the diamond that is to conquer night;
even the lonely ones bear in themselves their carnivorous twin,
in every mirror lies a double,
an adversary who reflects us and humbles us;
the precious fire hidden under the black silk cloak,
the robber vampire turns the corner and vanishes, nimbly,
thieved by his own agility;
with the weight of his act on his own shoulders
the assassin dives into his dreamless sleep,
now he is alone forever, without the other;
abandoned now to the all-powerful current,
a double flower sprung from a single stalk,
the lovers close their eyes in the depth of the kiss:
for them, night opens and restores the loss,
words asleep on the lips of water, in the head of the tree, in the
*   breast of the mountain,*
the black wine in the cup made of one drop of sun,
vision doubles, the butterfly holds still for a moment at the
*   center of the sky,*
on its right wing a grain of light and, on its left, one of shadow.
The city rests on the shoulder of the sleeping worker,
the seed of the song opens in the head of the poet.)

The eremite scorpion sharpens himself in the shadow.
Nocturnal interdict!
Moment that stammers and never finishes its meaning!
Will the sun rise tomorrow?
Does the star drown in its light,
go down in its rigid fury?
How do you say good morning to life?
Ask nothing more,
there is nothing to say, and nothing to conceal.
Thought shines, goes out, returns,

idéntico a sí mismo se devora y engendra, se repite,
ni vivo ni muerto,
en torno siempre al ojo frío que lo piensa.

Volvió a su cuerpo, se metió en sí mismo.
Y el sol tocó la frente del insomne,
brusca victoria de un espejo que no refleja ya ninguna imagen.

París, 1950

Mutra

Como una madre demasiado amorosa, una madre terrible que
   ahoga,
como una leona taciturna y solar,
como una sola ola del tamaño del mar,
ha llegado sin hacer ruido y en cada uno de nosotros se asienta
   como un rey
y los días de vidrio se derriten y en cada pecho erige un trono
   de espinas y de brasas
y su imperio es un hipo solemne, una aplastada respiración de
   dioses y animales de ojos dilatados
y bocas llenas de insectos calientes pronunciando una misma
   sílaba día y noche, día y noche.
¡Verano, boca inmensa, vocal hecha de vaho y jadeo!

Este día herido de muerte que se arrastra a lo largo del tiempo
   sin acabar de morir,
y el día que lo sigue y ya escarba impaciente la indecisa tierra
   del alba,
y los otros que esperan su hora en los vastos establos del año,
este día y sus cuatro cachorros, la mañana de cola de cristal y el
   mediodía con su ojo único,
el mediodía absorto en su luz, sentado en su esplendor,
la tarde rica en pájaros y la noche con sus luceros armados de

identical with itself it consumes itself and begets, recurs,
neither alive nor dead,
turning forever around the cold eye thinking it.

He returned to his body, he put himself in himself.
And the sun touched the head of the man who does not sleep,
an abrupt victory of a mirror that no longer reflects a single
image.

Mutra

Like a too-loving mother, a terrible mother of suffocation,
like a silent lioness of sunlight,
a single wave the size of the sea,
it has arrived noiselessly and in each of us has taken its place
like a king
and the glass days melt and in each breast is erected a throne of
thorns and live coals
and its dominion is a solemn hiccup, a crushed breathing of
gods and animals with eyes dilated
and mouths full of hot insects uttering one same syllable day
and night, day and night.
Summer, enormous mouth, vowel made of fumes and panting!

This day wounded to death creeping along the length of time
and never finished with dying,
and the day to come, now scraping impatiently at the no-man's-
land of dawn,
and the rest waiting their hour in the vast stables of the year,
this day and its four pups, morning with its crystal tail and noon
with its one eye,
noon absorbed in its light, seated in splendor,
afternoon rich in birds, night with its bright stars armed and in

punta en blanco,
este día y las presencias que alza o derriba el sol con un simple
aletazo:
la muchacha que aparece en la plaza y es un chorro de frescura
pausada,
el mendigo que se levanta como una flaca plegaria, montón de
basura y cánticos gangosos,
las bugambilias rojas negras a fuerza de encarnadas, moradas de
tanto azul acumulado,
las mujeres albañiles que llevan una piedra en la cabeza como si
llevasen un sol apagado,
la bella en su cueva de estalactitas y el son de sus ajorcas de
escorpiones,
el hombre cubierto de ceniza que adora al falo, al estiércol y al
agua,
los músicos que arrancan chispas a la madrugada y hacen bajar
al suelo la tempestad airosa de la danza,
el collar de centellas, las guirnaldas de electricidad balanceán-
dose en mitad de la noche,
los niños desvelados que se espulgan a la luz de la luna,
los padres y las madres con sus rebaños familiares y sus bestias
adormecidas y sus dioses pertificados hace mil años,
las mariposas, los buitres, las serpientes, los monos, las vacas, los
insectos parecidos al delirio,
todo este largo día con su terrible cargamento de seres y cosas,
encalla lentamente en el tiempo parado.

Todos vamos cayendo con el día, todos entramos en el túnel,
atravesamos corredores interminables cuyas paredes de aire
sólido se cierran,
nos internamos en nosotros y a cada paso el animal humano
jadea y se desploma,
retrocedemos, vamos hacia atrás, el animal pierde futuro a cada
paso,
y lo erguido y duro y óseo en nosotros al fin cede y cae pesada-
mente en la boca madre.

full regalia,
this day and the presences that the sun exalts or pulls down with
a simple wingblow:
the girl who appears in the street and is a stream of quiet fresh-
ness,
the beggar raising himself up like a feeble prayer, a heap of gar-
bage and whining canticles,
red bougainvillea black through darkness of red, purple in accu-
mulated blue,
women bricklayers carrying stones on their heads as if they carried extinguished suns,
the beauty in her cave of stalactites, the sound of her scorpion's
scales,
the man covered with ashes who worships the phallus, dung and
water,
musicians who tear sparks out of daybreak and make the airy
tempest of the dance come down to earth,
the collar of sparkle, electric garlands in equilibrium at midnight,
the sleepless children picking fleas by moonlight,
fathers and mothers with their family flocks and their beasts
asleep and their gods petrified a thousand years ago,
butterflies, vultures, snakes, monkeys, cows, insects looking like
madness,
all this long day with its frightful cargo of beings and things
slowly being stranded on suspended time.

We all go declining with the day, we all enter the tunnel,
we cross through endless galleries whose walls of solid air close
behind us,
we imprison ourselves in ourselves and at each step the human
animal pants and topples,
we fall back, we give our ground, the animal loses the future at
each step,
that which is erect and hard and bony in ourselves finally gives
way, falling heavily into the mother mouth.

Dentro de mí me apiño, en mí mismo me hacino y al apiñarme
me derramo,
soy lo extendido dilatándose, lo repleto vertiéndose y llenándose,
no hay vértigo ni espejo ni náusea ante el espejo, no hay caída,
sólo un estar, un derramado estar, llenos hasta los bordes, todos
a la deriva:
no como el arco que se encorva y sobre sí se dobla para que el
dardo salte y dé en el centro justo,
ni como el pecho que lo aguarda y a quien la espera dibuja ya la
herida,
no concentrados ni en arrobo, sino a tumbos, de peldaño en
peldaño, agua vertida, volvemos al principio.
Y la cabeza cae sobre el pecho y el cuerpo cae sobre el cuerpo sin
encontrar su fin, su cuerpo último.

No, asir la antigua imagen: ¡anclar el ser y en la roca plantarlo,
zócalo del relámpago!
Hay piedras que no ceden, piedras hechas de tiempo, tiempo de
piedra, siglos que son columnas,
asambleas que cantan himnos de piedra,
surtidores de jade, jardines de obsidiana, torres de mármol, alta
belleza armada contra el tiempo.
Un día rozó mi mano toda esa gloria erguida.
Pero también las piedras pierden pie, también las piedras son
imágenes,
y caen y se disgregan y confunden y fluyen con el río que no
cesa.
También las piedras son el río.
¿Dónde está el hombre, el que da vida a las piedras de los muertos, el que hace hablar piedras y muertos?
Las fundaciones de la piedra y de la música,
la fábrica de espejos del discurso y el castillo de fuego del poema
enlazan sus raíces en su pecho, descansan en su frente, él los
sostiene a pulso.
Tras la coraza de cristal de roca busqué al hombre, palpé a
tientas la brecha imperceptible:

Within myself I crowd myself, in my own self I press myself and
as I crowd myself I overflow,
I am extended and I expand, the full one, spilling and filling
myself,
there is no vertigo nor mirror nor nausea facing the mirror,
there is no downfall,
only a being, an overflowing being, full to the brim, and adrift:
not like the bow that curves and arches on itself to let the arrow
leap straight to the mark,
not like the breast that awaits it, on whom hope already draws
the wound,
not concentrated nor in trance, but tumbling from step to step,
spilled water, we return to the origin.
And the head falls on the breast and body falls on body without
finding its goal, its final body.

No, take hold of the ancient image: anchor existence and plant
it in the stone, base of the lightning!
Some stones never give way, stones made of time, time made of
stone, centuries that are columns,
assemblies singing the hymns of stone,
fountains of jade, obsidian gardens, towers of marble, high
beauty armed against time.
One day my hand brushed against all that constructed glory.
Stones also lose their footing, stones too are images,
and they fall and they scatter and mix and flow with the flowing
river.
The stones also are the river.
Where is the man who gives life to the stones of the dead, the
man who makes the stones and the dead speak?
Foundations of stone and of music,
the factory that produces the mirrors of discourse and the
poem's castle of fire
entwine their roots in his breast, rest in his head; his hand sus-
tains them.
Under the breastplate of rock-crystal I searched for the man,
groped for the imperceptible opening;

nacemos y es un rasguño apenas la desgarradura y nunca cica-
triza y arde y es una estrella de luz propia,
nunca se apaga la diminuta llaga, nunca se borra la señal de
sangre, por esa puerta nos vamos a lo oscuro.
También el hombre fluye, también el hombre cae y es una imagen que se desvanece.

Pantanos del sopor, algas acumuladas, cataratas de abejas sobre
los ojos mal cerrados,
festín de arena, horas mascadas, imágenes mascadas, vida mas-
cada siglos
hasta no ser sino una confusión estática que entre las aguas som-
nolientas sobrenada,
agua de ojos, agua de bocas, agua nupcial y ensimismada, agua
incestuosa,
agua de dioses, cópula de dioses, agua de astros y reptiles, selvas
de agua de cuerpos incendiados,
beatitud de lo repleto sobre sí mismo derramándose, no somos,
no quiero ser
Dios, no quiero ser a tientas, no quiero regresar, soy hombre y
el hombre es
el hombre, el que saltó al vacío y nada lo sustenta desde entonces
sino su propio vuelo,
el desprendido de su madre, el desterrado, el sin raíces, ni cielo
ni tierra, sino puente, arco
tendido sobre la nada, en sí mismo anudado, hecho haz, y no
osbstante partido en dos desde el nacer, peleando
contra su sombra, corriendo siempre tras de sí, disparado, exha-
lado, sin jamás alcanzarse,
el condenado desde niño, destilador del tiempo, rey de sí mismo,
hijo de sus obras.

Se despeñan las últimas imágenes y el río negro anega la conciencia.
La noche dobla la cintura, cede el alma, caen racimos de horas
confundidas, cae el hombre
como un astro, caen racimos de astros, como un fruto demasiado maduro cae el mundo y sus soles.

we are born and the rent is no more than a scratch and it never
    scars over and it burns and it is a star giving off its own light,
the little wound never quenched, the sign of the blood never
    erased, through that door we go down to the dark.
Man also flows, man also falls and is an image that vanishes.

Marshes of lethargy, accretions of algae, bees in cataracts over
    half-open eyes,
a feast of sand, hours chewed, images chewed, life chewed cen-
    turies
with no existence other than ecstatic chaos which floats among
    the sleeping waters,
water of eyes, water of mouths, wedding waters lost in contem-
    plation, water of incest,
water of gods, copulation of gods, water of stars and reptiles,
    water-forests of burnt bodies,
beatitude of fullness, overflowing itself, we are not, I do not
    want to be
God, I do not want to grope in the dark, I will not return, I am
    a man and man is
man, he who leapt to the void and since then nothing has sus-
    tained him but his own wing,
the one who let go of his mother, the exiled, rootless, with
    neither heaven nor earth, a bridge, a bow
stretched over nothing, in himself unified, made whole, and
    nevertheless split from the moment of his birth, struggling
against his shadow, always running behind himself, blundering,
    exhausted, without ever reaching himself,
condemned from childhood, alembic of time, king of himself,
    son of his own works.

The ultimate images overthrown, the black river drowns con-
    sciousness,
night doubles over, the soul gives way, clusters of confounded
    hours fall, man falls
like a star, the clusters of stars fall, like overripe fruit the world
    and its suns fall.

Pero en mi frente velan armas la adolescencia y sus imágenes,
sólo tesoro no dilapidado:

naves ardiendo en mares todavía sin nombre y cada ola gol-
peando la memoria con un tumulto de recuerdos

(el agua dulce en las cisternas de las islas, el agua dulce de las
mujeres y sus voces sonando en la noche como muchos arroyos que se juntan,

la diosa de ojos verdes y palabras humanas que plantó en nuestro pecho sus razones como una hermosa procesión de lanzas,

la reflexión sosegada ante la esfera, henchida de sí misma como
una espiga, mas inmortal, perfecta, suficiente,

la contemplación de los números que se enlazan como notas o
amantes,

el universo como una lira y un arco y la geometría vencedora de
dioses, ¡única morada digna del hombre!)

y la ciudad de altas murallas que en la llanura centellea como
una joya que agoniza

y los torreones demolidos y el defensor por tierra y en las cámaras humeantes el tesoro real de las mujeres

y el epitafio del héroe apostado en la garganta del desfiladero
como una espada

y el poema que asciende y cubre con sus dos alas el abrazo de la
noche y el día

y el árbol recto del discurso en la plaza plantado virilmente

y la justicia al aire libre de un pueblo que pesa cada acto en la
balanza de un alma sensible al peso de la luz,

¡actos, altas piras quemadas por la historia!

Bajo sus restos negros dormita la verdad que levantó las obras:
el hombre sólo es hombre entre los hombres.

Y hundo la mano y cojo el grano incandescente y lo planto en
mi ser: ha de crecer un día.

Delhi, 1952

But in my head keep vigil adolescence and its images, the only
    treasure not ravaged:
ships afire on seas still unnamed and each wave striking memory
    in a storm of reminders
(fresh water in the island cisterns, fresh water of women and their
    voices sounding through the night like many streams meeting,
goddess of green eyes and human words who planted in our
    breast her reasons, a lovely procession of lances,
the calm reflection before a sphere, swollen with itself like an
    ear of wheat, but immortal, perfect, sufficient,
contemplation of numbers that join like notes or lovers,
the universe like a lyre, a bow, the victorious geometry of gods,
    sole abode that is worthy of man!)
and the high-walled city that on the plain glitters like a jewel in
    pain
and demolished watch-towers and the champion defeated and in
    the smoking chambers the treasure of women
and the hero's epitaph stuck in the road at the narrow place like
    a sword
and the poem rising and covering with its wings the embrace of
    day and night
and the straight tree of discourse planted in potency in the mid-
    dle of the city
and justice in the open air of a people who weighs each act in
    the scale of a delicate spirit sensitive to the weight of light;
acts, the high pyres burnt by history!
Under these black remains asleep, truth, who roused the works:
    man is only man among men.

And I reach down and grasp the incandescent grain and plant it
    in my being: it must grow one day.

¿No hay salida?

En duermevela oigo correr entre bultos adormilados y ceñudos
    un incesante río.
Es la catarata negra y blanca, las voces, las risas, los gemidos del
    mundo confuso, despeñándose.
Y mi pensamiento que galopa y galopa y no avanza, también
    cae y se levanta
y vuelve a despeñarse en las aguas estancadas del lenguaje.
¡Palabras para sellar al mundo con un sello indeleble o para
    abrirlo de par en par,
sílabas arrancadas al árbol del idioma, hachas contra la muerte,
    proas donde se rompe la gran ola del vacío,
heridas, surtidores, conos esbeltos que levanta el insomnio!
Hace un segundo habría sido fácil coger una palabra y repetirla
    una vez y otra vez,
cualquiera de esas frases que decimos a solas en un cuarto sin
    espejos
para probarnos que no es cierto,
                                que aún estamos vivos,
pero ahora con manos que no pesan la noche aquieta la furiosa
    marea
y una a una desertan las imágenes, una a una las palabras se
    cubren el rostro.

Pasó ya el tiempo de esperar la llegada del tiempo, el tiempo de
    ayer, hoy y mañana,
ayer es hoy, mañana es hoy, hoy todo es hoy, salió de pronto de
    sí mismo y me mira,
no viene del pasado, no va a ninguna parte, hoy está aquí, no es
    la muerte
—nadie se muere de la muerte, todos morimos de la vida—, no
es la vida
—fruto instantáneo, vertiginosa y lúcida embriaguez, el vacío
    sabor de la muerte da más vida a la vida—,
hoy no es muerte ni vida,

No Exit?

Half sleeping I hear running between sleepy and beetling
    shapes a ceaseless river.
The black and white waterfall, the voices, the laughter, the
    moans of a confused and headlong world.
And my thought that gallops and gallops and goes nowhere also
    falls and rises
and falls again headlong in the stagnant waters of language.
Words to seal the world with an indelible seal or to open it up
    wide!
Syllables torn from the tree of idiom, axes against death, prows
    to break the great wave of the void,
wounds, shoots of fountains, slender cones raised up by insom-
    nia!
A second ago it would have been easy to take a word and repeat
    it again and again,
any of these phrases we say to ourselves in a room without mir-
    rors
to try on that which is not sure,
                              that we are still alive,
but now with weightless hands night allays the fury of the tide
and one by one the images, one by one the words veil their
    faces.

I pass the time now by hoping too much for the arrival of time,
    the time of yesterday, today and tomorrow,
yesterday is today, tomorrow is today, today everything is today,
    it emerges suddenly from itself and looks at me,
it does not come from the past, no part of it vanishes, today is
    here, there is not death
—nobody dies of death, we all die of life,—there is no life
—sudden fruit, dizzy and lucid intoxication, the empty taste of
    death gives life more life—,
today is neither death nor life,

no tiene cuerpo, ni nombre, ni rostro, hoy está aquí,
echado a mis pies, mirándome.

Yo estoy de pie, quieto en el centro del círculo que hago al ir
 cayendo desde mis pensamientos,
estoy de pie y no tengo adonde volver los ojos, no queda ni una
 brizna del pasado,
toda la infancia se la tragó este instante y todo el porvenir son
 estos muebles clavados en su sitio,
el ropero con su cara de palo, las sillas alineadas en espera de
 nadie,
el rechoncho sillón con los brazos abiertos, obsceno como morir
 en su lecho,
el ventilador, insecto engreído, la ventana mentirosa, el presente sin resquicios,
todo se ha cerrado sobre sí mismo, he vuelto adonde empecé,
 todo es hoy y para siempre.

Allá, del otro lado, se extienden las playas inmensas como una
 mirada de amor,
allá la noche vestida de agua despliega sus jeroglíficos al alcance
 de la mano,
el río entra cantando por el llano dormido y moja las raíces de la
 palabra libertad,
allá los cuerpos enlazados se pierden en un bosque de árboles
 transparentes,
bajo el follaje del sol caminamos, amor mío, somos dos reflejos
 que cruzan sus aceros,
la plata nos tiende puentes para cruzar la noche, las piedras nos
 abren paso,
allá tú eres el tatuaje en el pecho del jade caído de la luna, allá
 el diamante insomne cede
y en su centro vacío somos el ojo que nunca parpadea y la fijeza
 del instante ensimismado en su esplendor.

Todo está lejos, no hay regreso, los muertos no están muertos,
 los vivos no están vivos,

it is bodiless, nameless, faceless, today is here,
thrown down at my feet, looking at me.

I stand alert, quiet at the center of the circle I am used to going
    around, falling after my thought,
I stand alert, I do not look around, not a splinter of the past
    remains,
all of infancy is carried by this moment and for all time to come
    this furniture is nailed down in your room,
the cupboard with its wooden face, the chairs lined up waiting
    for nobody,
the overstuffed easychair with its arms open, obscene, as if it
    were dying in its bed,
the electric fan, insect-proud, the deceitful window, the present
    that has no loopholes,
everything has locked itself on itself, has come to where it began,
    everything is today for ever.

Out there, on the other shore, stretch beaches enormous as the
    look of love,
Out there night robed in water offers its hieroglyphs within
    hand's reach,
the river singing enters the sleeping plain and drenches the
    roots of the word liberty,
out there bodies woven together are lost in a forest of trans-
    parent trees,
under the leaves of the sun, my love, we go along, we are two
    mirrors crossing their swords,
silver spreads bridges for us to cross over at night, rocks open a
    way for us,
out there you will be tattooing on the breast of jade moon-fallen,
    out there the sleepless diamond yields
and in its empty center we are the eye that never flickers, the
    steadfastness of the moment absorbed in thought in its own
    splendor.

It is all faraway, with no return, the dead are not dead, nor the
    living living,

hay un muro, un ojo que es un pozo, todo tira hacia abajo, pesa
el cuerpo,
pesan los pensamientos, todos los años son este minuto desplo-
mándose interminablemente,
aquel cuarto de hotel de San Francisco me salió al paso en
Bangkok, hoy es ayer, mañana es ayer,
la realidad es una escalera que no sube ni baja, no nos movemos,
hoy es hoy, siempre es hoy,
siempre el ruido de los trenes que despedazan cada noche a la
noche,
el recurrir a las palabras melladas,
la perforación del muro, las idas y venidas, la realidad cerrando
puertas,
poniendo comas, la puntuación del tiempo, todo está lejos, los
muros son enormes,
está a millas de distancia el vaso de agua, tardaré mil años en
recorrer mi cuarto,
qué sonido remoto tiene la palabra vida, no estoy aquí, no hay
aquí, este cuarto está en otra parte,
aquí es ninguna parte, poco a poco me he ido cerrando y no
encuentro salida que no dé a este instante,
este instante soy yo, salí de pronto de mí mismo, no tengo
nombre ni rostro,
yo está aquí, echado a mis pies, mirándome mirándose mirarme
mirado.

Fuera, en los jardines que arrasó el verano, una cigarra se ensaña
contra la noche.
¿Estoy o estuve aquí?

Tokio, 1952

El río

La ciudad desvelada circula por mi sangre como una abeja.
Y el avión que traza un gemido en forma de S larga, los tranvías

here is a wall, an eye that is a well, everything tends downward,
the body is heavy,
thoughts are heavy, all the years become this minute falling in-
terminably,
that hotel room in San Francisco looked like Bangkok, today is
yesterday, tomorrow is yesterday,
reality is a stairway that does not go up or down, we do not ever
move, today is today, always today,
always the noise of trains that nightly tear night apart,
the return to toothless words,
the hole in the wall, the comings and goings, reality that locks
doors,
putting in commas, the punctuation of time, everything faraway, the walls are immense,
the glass of water is miles away, it takes a thousand years to go
around my room,
the empty word holds a remote meaning, I am not here, there is
no *here,* this room is someplace else,
here is not anywhere, little by little I have been locked in and I
find no exit which does not lead to this moment,
this moment I am I, suddenly I have let go of myself, I have no
name nor face,
I have become *here,* thrown down at my feet, looking at me
looking at it look at myself looked at.

Outside, in the gardens scorched by summer, a cicada rages
against night
Am I, or was I, here?

The River

The sleepless city circles in my blood like a bee.
And the plane that traces a howl in the shape of a long S, the

que se derrumban en esquinas remotas,
ese árbol cargado de injurias que alguien sacude a medianoche
en la plaza,
los ruidos que ascienden y estallan y los que se deslizan y cuchi-
chean en la oreja un secreto que repta
abren lo oscuro, precipicios de aes y oes, túneles de vocales taci-
turnas,
galerías que recorro con los ojos vendados, el alfabeto somnoliento cae en el hoyo como un río de tinta,
y la ciudad va y viene y su cuerpo de piedra se hace añicos al
llegar a mi sien,
toda la noche, uno a uno, estatua a estatua, fuente a fuente,
piedra a piedra, toda la noche
sus pedazos se buscan en mi frente, toda la noche la ciudad
habla dormida por mi boca
y es un discurso incomprensible y jadeante, un tartamudeo de
aguas y piedra batallando, su historia.

Detenerse un instante, detener a mi sangre que va y viene, va y
viene y no dice nada,
sentado sobre mí mismo como el yoguín a la sombra de la
higuera, como Buda a la orilla del río, detener al instante,
un solo instante, sentado a la orilla del tiempo, borrar mi imagen
del río que habla dormido y no dice nada y me lleva consigo,
sentado a la orilla detener al río, abrir el instante, penetrar por
sus salas atónitas hasta su centro de agua,
beber en la fuente inagotable, ser la cascada de sílabas azules
que cae de los labios de piedra,
sentado a la orilla de la noche como Buda a la orilla de sí mismo
ser el parpadeo del instante,
el incendio y la destrucción y el nacimiento del instante y la respiración de la noche fluyendo enorme a la orilla del tiempo,
decir lo que dice el río, larga palabra semejante a labios, larga
palabra que no acaba nunca,
decir lo que dice el tiempo en duras frases de piedra, en vastos
ademanes de mar cubriendo mundos.

trolleys that break down on remote street-corners,
that tree laden with insults and shaken by someone at midnight
in the plaza,
noises that rise and shatter and those that evade us and whisper
in our ear a secret that crawls,
they open the darkness, precipices of a's and o's, tunnels of taciturn vowels,
galleries I run down blindfold, the sleepy alphabet falls in the
pit like a river of ink,
and the city goes and comes and its stone body breaks to bits as
it reaches my temples,
all night long, one by one, statue by statue, fountain by fountain, stone by stone, all night long
its pieces search in my head, all night long the city speaks in its
sleep through my mouth
in a panting incomprehensible discourse, a stammering of waters and stone at war, its story.

To hold still a moment, to stop my blood that goes and comes,
goes and comes and says nothing,
seated on myself like a yogi in the shadow of the fig-tree, like
Buddha on the river-shore, to hold a moment still,
one single moment, seated on the shore of time, to strike out my
image of the river that speaks in its sleep and says nothing and
carries me along,
seated on the shore to hold the river still, to open the moment,
to penetrate through its astonished rooms to the center of water,
to drink of the inexhaustible fountain, to be the cascade of blue
syllables that falls from the lips of stone,
seated on the shore of night like Buddha on the shore of himself
to be the flickering moment,
conflagration and destruction and birth of the moment and the
breathing of the night flowing huge to the shore of time,
to say what the river says, a long word resembling lips, a long
never-completed word,
to say what time says in hard stone phrases, in vast sea-gestures
covering worlds.

A mitad del poema me sobrecoge siempre un gran desamparo,
todo me abandona,
no hay nadie a mi lado, ni siquiera esos ojos que desde atrás con-
templan lo que escribo,
no hay atrás ni adelante, la pluma se rebela, no hay comienzo ni
fin, tampoco hay muro que saltar,
es una explanada desierta el poema, lo dicho no está dicho, lo
no dicho es indecible,
torres, terrazas devastadas, babilonias, un mar de sal negra, un
reino ciego,
          No,
detenerme, callar, cerrar los ojos hasta que brote de mis párpados una espiga, un surtidor de soles,
y el alfabeto ondule largamente bajo el viento del sueño y la
marea crezca en una ola y la ola rompa el dique,
esperar hasta que el papel se cubra de astros y sea el poema un
bosque de palabras enlazadas,
          No,
no tengo nada que decir, nadie tiene nada que decir, nada ni
nadie excepto la sangre,
nada sino este ir y venir de la sangre, este escribir sobre lo
escrito y repetir la misma palabra en mitad del poema,
sílabas de tiempo, letras rotas, gotas de tinta, sangre que va y
viene y no dice nada y me lleva consigo.

Y digo mi rostro inclinado sobre el papel y alguien a mi lado
escribe mientras la sangre va y viene,
y la ciudad va y viene por su sangre, quiere decir algo, el tiempo
quiere decir algo, la noche quiere decir,
toda la noche el hombre quiere decir una sola palabra, decir al
fin su discurso hecho de piedras desmoronadas,
y aguzo el oído, quiero oír lo que dice el hombre, repetir lo que
dice la ciudad a la deriva,
toda la noche las piedras rotas se buscan a tientas en mi frente,
toda la noche pelea el agua contra la piedra,
las palabras contra la noche, la noche contra la noche, nada
ilumina el opaco combate,

In mid-poem a great need overtakes me always, all things abandon me,
there is no one beside me, not even those eyes that behind me
contemplate what I write,
there is no behind or before, the pen rebels, there is no beginning or end, nor even a wall to leap,
the poem is a deserted esplanade, what's said is unsaid, the unsaid's unsayable,
towers, terraces laid waste, babylons, a sea of black salt, a blind
kingdom,
No,
to hold myself still, to keep still, to close my eyes until from my
eyelids bursts a spike of wheat, a jet of suns,
and the alphabet makes long waves under the wind of dream
and the tide grows to a wave and the wave breaks the dike,
to wait until the paper is covered with stars and the poem becomes a grove of words interlaced,
No,
I have nothing to say, nobody has anything to say, nothing and
nobody but the blood,
nothing except this going and coming of the blood, this writing
over what's written and repeating the same word in mid-poem,
syllables of time, broken letters, drops of ink, blood that goes
and comes and says nothing and carries me along.

And I speak, my face bent over the paper and someone beside
me writes while the blood goes and comes,
and the city goes and comes in his blood, it wants to say something, time wants to say something, night wants to speak,
all night long man wants to say a single word, at last to speak
his discourse made of rubble,
and I sharpen my hearing, I want to hear what man says, to
repeat what the city says as it drifts,
all night long the broken stones search groping in my head, all
night long water battles stones,
words against night, night against night, nothing lights the
opaque combat,

el choque de las armas no arranca un relámpago a la piedra, una
    chispa a la noche, nadie da tregua,
es un combate a muerte entre inmortales, ay, dar marcha atrás,
    parar el río de sangre, el río de tinta,
parar el río de las palabras, remontar la corriente y que la
    noche vuelta sobre sí misma muestre sus entrañas de oro
    ardiendo,
que el agua muestre su corazón que es un racimo de espejos
    ahogados, un árbol de cristal que el viento desarraiga
(y cada hoja del árbol vuela y centellea y se pierde en una luz
    cruel como se pierden las palabras en la imagen del poeta)
que el tiempo se cierre y sea su herida una cicatriz invisible,
    apenas una delgada línea sobre la piel del mundo,
que las palabras depongan armas y sea el poema una sola pala-
    bra entretejida, un resplandor implacable que avanza,
y sea el alma el llano después del incendio, el pecho lunar de un
    mar petrificado que no refleja nada
sino la extensión extendida, el espacio acostado sobre sí mismo,
    las alas inmensas desplegadas,
y sea todo como la llama que se esculpe y se hiela en la roca de
    entrañas transparentes,
duro fulgor resuelto ya en cristal y claridad pacífica.

Y el río remonta su curso, repliega sus velas, recoge sus imágenes
    y se interna en sí mismo.

Ginebra, 1953

El cántaro roto

La mirada interior se despliega y un mundo de vértigo y llama
    nace bajo la frente del que sueña:
soles azules, verdes remolinos, picos de luz que abren astros
    como granadas,
tornasol solitario, ojo de oro girando en el centro de una expla-
    nada calcinada,
bosques de cristal de sonido, bosques de ecos y respuestas y
    ondas, diálogo de transparencias,

the shock of weapons does not strike a flash from stone, a spark
from night, nothing gives respite,
a mortal combat of immortals, O, to open a retreat, to dam the
river of blood, river of ink,
to dam the river of words, go upstream, that the night bend
backwards and show its bowels of burning gold,
that the water shows its heart that is a cluster of drowned mirrors, a tree of glass uprooted by the wind
(and each leaf of the tree lifts and glitters and is lost in a cruel
light as the words are lost in a poet's image)
that time close up, and that its wound be an invisible scar,
hardly a slender line on the skin of the world,
that the words lay down their weapons and that the poem be
one single interlaced word, an implacable splendor that
advances,
and that the soul be the prairie after fire, the lunar breast of a
sea turned to stone, reflecting nothing
except extension, extending, space lying down on itself, its enormous widespread wings,
that all become like flame that engraves itself and freezes in the
rock, a rock with transparent bowels,
hard blazing resolved now in crystal, peaceable clarity.

And the river goes upstream, up its course, lowers its sails, gath-
ers in its images and turns itself inward on its self.

The Broken Jar

The inner look unfolds and a world of spin and flame is born in
the head of the dreamer,
blue suns, green whirlpools, beaks of light opening stars like
pomegranates,
sunflower isolated, eye of gold that revolves in the center of a
charred pavilion,
glass groves of sound, groves of echoes and answers and waves, a
dialogue of transparencies,

¡viento, galope de agua entre los muros interminables de una
    garganta de azabache,
caballo, cometa, cohete que se clava justo en el corazón de la
    noche, plumas, surtidores,
plumas, súbito florecer de las antorchas, velas, alas, invasión de
    lo blanco,
pájaros de las islas cantando bajo la frente del que sueña!

Abrí los ojos, los alcé hasta el cielo y vi cómo la noche se cubría
    de estrellas.
¡Islas vivas, brazaletes de islas llameantes, piedras ardiendo,
    respirando, racimos de piedras vivas,
cuánta fuente, qué claridades, qué cabelleras sobre una espalda
    oscura,
cuanto río allá arriba, y ese sonar remoto del agua junto al
    fuego, de luz contra la sombra!
Harpas, jardines de harpas.

Pero a mi lado no había nadie.
Sólo el llano: cactus, huizaches, piedras enormes que estallan
    bajo el sol.
No cantaba el grillo,
había un vago olor a cal y semillas quemadas,
las calles del poblado eran arroyos secos
y el aire se habría roto en mil pedazos si alguien hubiese gri-
    tado: ¿quién vive?
Cerros pelados, volcán frío, piedra y jadeo bajo tanto esplendor,
    sequía, sabor de polvo,
rumor de pies descalzos sobre el polvo, ¡y el pirú en medio del
    llano como un surtidor petrificado!

Dime, sequía, dime, tierra quemada, tierra de huesos remolidos,
    dime, luna agónica,
¿no hay agua.
hay sólo sangre, sólo hay polvo, sólo pisadas de pies desnudos
    sobre la espina,

wind, water galloping between the endless walls of a gorge of
jet,
horse, comet, rocket that drives right to the heart of night,
plumes, spurts of fountain,
plumes, a sudden flowering of torches, candles, and wings, inva-
sion of whiteness,
island birds singing in the head of the dreamer.

I opened my eyes, I looked up at the sky and saw the night covered with stars.
Live islands, bracelets of flaming islands, stone burning, breathing, clusters of live stones,
how many fountains, many brightnesses, comet-tail-hair on a
dark back,
how many rivers far up there, and that remote sounding of
water with fire, of light against shade!
Harps, gardens of harps.

But by my side, nobody.
Only the desert: cactus, thornbushes, huge rocks bursting beneath the sun.
Cricket not singing,
an obscure smell of lime and burning seeds,
the streets of the town were dry streambeds
and the air would have broken in a thousand pieces if anyone
had shouted: Who's there?
Stripped hills, cold volcano, stone and hot wind under all that
splendor, drought, the taste of dust,
a barefoot sound in the dust, and a peppertree in the midst of
desert like a petrified fountain!

Tell me, drought, tell me, scorched earth, earth of ground
bones, tell me, moon of torture,
is there no water?
but only blood, only dust, only the footsteps of naked feet on
thorns,

sólo andrajos y comida de insectos y sopor bajo el mediodía
impío como un cacique de oro?
¿No hay relinchos de caballos a la orilla del río, entre las grandes
piedras redondas y relucientes,
en el remanso, bajo la luz verde de las hojas y los gritos de los
hombres y las mujeres bañándose al alba?
El dios-maíz, el dios-flor, el dios-agua, el dios-sangre, la Virgen,
¿todos se han muerto, se han ido, cántaros rotos al borde de la
fuente cegada?
¿Sólo está vivo el sapo,
sólo reluce y brilla en la noche de México el sapo verduzco,
sólo el cacique gordo de Cempoala es inmortal?

Tendido al pie del divino árbol de jade regado con sangre,
mientras dos esclavos jóvenes lo abanican,
en los días de las grandes procesiones al frente del pueblo,
apoyado en la cruz: arma y bastón,
en traje de batalla, el esculpido rostro de sílex aspirando como
un incienso precioso el humo de los fusilamientos,
los fines de semana en su casa blindada junto al mar, al lado de
su querida cubierta de joyas de gas neón,
¿sólo el sapo es inmortal?

He aquí a la rabia verde y fría y a su cola de navajas y vidrio
cortado,
he aquí al perro y a su aullido sarnoso,
al maguey taciturno, al nopal y al candelabro erizados, he aquí
a la flor que sangra y hace sangrar,
la flor de inexorable y tajante geometría como un delicado in-
strumento de tortura,
he aquí a la noche de dientes largos y mirada filosa, la noche
que desuella con un pedernal invisible,
oye a los dientes chocar uno contra otro,
oye a los huesos machacando a los huesos,
al tambor de piel humana golpeado por el fémur,
al tambor del pecho golpeado por el talón rabioso,
al tam-tam de los tímpanos golpeados por el sol delirante,

only rags and a dinner of insects and sleep under the devil noonday like a golden chieftain?
No horses neighing at the river-bank, among great polished
boulders glistening,
in the still pool, under the green light of leaves and the shouts
of men and women bathing at dawn?
The corn-god, the flower-god, the water-god, the blood-god, the
Virgin,
are they all dead, gone away, broken jars at the edge of the
sealed-up well?
Is only the toad alive?
alone glittering and burning in the night of Mexico, only the
dark green toad,
is the fat chieftain of Cempoala the only immortal?

Stretched at the foot of the sacred jade tree watered with blood,
while two young slaves are fanning him,
seen on the days of great processions, facing the people, sup-
ported by the cross: weapon and sceptre,
in battle-dress, in a mask carved of quartz, breathing the smoke
of the firing-squads like precious incense,
spending the weekends in his armored beach-house, with his
neon-jeweled mistress,
is the toad the only immortal?

Here's green cold venom, its tail of razors and cut glass,
here's the dog and his mangy howl,
the taciturn maguey, the prickly pear, the bristling arms of the
cactus, the flower that bleeds and draws blood,
flower of implacable and slicing geometry, like a delicate instru-
ment of torture,
here's night with long teeth and keen eyes, night that flays with
an invisible flint,
listen, those teeth clashing against each other,
listen, those bones crushing bones,
the drum of human skin hit by a thigh-bone,
the drum of the chest struck by the raging heel,
the tomtom of the eardrum struck by the raving sun,

he aquí al polvo que se levanta como un rey amarillo y todo lo
descuaja y danza solitario y se derrumba
como un árbol al que de pronto se le han secado las raíces, como
una torre que cae de un solo tajo,
he aquí al hombre que cae y se levanta y come polvo y se arrastra,
al insecto humano que perfora la piedra y perfora los sigleos y
carcome la luz,
he aquí a la piedra rota, al hombre roto, a la luz rota.

¿Abrir los ojos o cerrarlos, todo es igual?
Castillos interiores que incendia el pensamiento porque otro
más puro se levante, sólo fulgor y llama,
semilla de la imagen que crece hasta ser árbol y hace estallar el
cráneo,
palabra que busca unos labios que la digan,
sobre la antigua fuente humana cayeron grandes piedras,
hay siglos de piedras, años de losas, minutos espesores sobre la
fuente humana.

Dime, sequía, piedra pulida por el tiempo sin dientes, por el
hambre sin dientes,
polvo molido por dientes que son siglos, por siglos que son
hambres,
dime, cántaro roto caído en el polvo, dime,
¿la luz nace frotando hueso contra hueso, hombre contra hombre, hambre contra hambre,
hasta que surja al fin la chispa, el grito, la palabra,
hasta que brote al fin el agua y crezca el árbol de anchas hojas
de turquesa?

Hay que dormir con los ojos abiertos, hay que soñar con las
manos,
soñemos sueños activos de río buscando su cauce, sueños de sol
soñando sus mundos,
hay que soñar en voz alta, hay que cantar hasta que el canto
eche raíces, tronco, ramas, pájaros, astros,
cantar hasta que el sueño engendre y brote del costado del dor-

here's dust rising, a yellow king, and everything overthrows him,
    he dances alone, he falls headlong,
like a tree whose roots have suddenly dried up, like a tower
    fallen at a single stroke,
here's the man who falls and rises and eats dust and crawls along,
the human insect who drills the rock and drills the centuries
    and gnaws away the light,
here's broken stone, man broken, the light broken.

Open our eyes or close them, it is all the same?
Castles of the inner world which thought sets on fire so that
    another, a purer one can rise, all flame and brilliance,
seed of the image that grows, until it is a tree and bursts the
    skull,
word in search of lips that will speak it,
over the ancient human fountain great stones fell,
the centuries of stones, the years of slabs, minute layers over the
    human fountain.

Tell me, drought, stone polished by toothless time, by toothless
    famine,
dust ground down by teeth that are centuries, centuries that are
    famines,
tell me, broken jar fallen in the dust, tell me,
is light born rubbing bone against bone, man against man,
    famine on famine?
until at last may issue the spark, the shout, the word,
until at last may gush the water and the tree grow with its wide
    turquoise leaves?

We have to sleep with open eyes, we must dream with our
    hands,
let us dream active dreams of the river seeking its watercourse,
    dreams of the sun dreaming its worlds,
we have to dream aloud, we have to sing till the song throws out
    root, trunk, branches, birds, stars,
to sing until the dream engenders and from the side of the

mido la espiga roja de la resurrección,
el agua de la mujer, el manantial para beber y mirarse y recono-
cerse y recobrarse,
el manantial para saberse hombre, el agua que habla a solas en
la noche y nos llama con nuestro nombre,
el manantial de las palabras para decir yo, tú, él, nosotros, bajo
el gran árbol viviente estatua de la lluvia,
para decir los pronombres hermosos y reconocernos y ser fieles a
nuestros nombres
hay que soñar hacia atrás, hacia la fuente, hay que remar siglos
arriba,
más allá de la infancia, más allá del comienzo, más allá de las
aguas del bautismo,
echar abajo las paredes entre el hombre y el hombre, juntar de
nuevo lo que fue separado,
vida y muerte no son mundos contrarios, somos un solo tallo
con dos flores gemelas,
hay que desenterrar la palabra perdida, soñar hacia dentro y
también hacia afuera,
descifrar el tatuaje de la noche y mirar cara a cara al mediodía
y arrancarle su máscara,
bañarse en luz solar y comer los frutos nocturnos, deletrear la
escritura del astro y la del río,
recordar lo que dicen la sangre y la marea, la tierra y el cuerpo,
volver al punto de partida,
ni adentro ni afuera, ni arriba ni abajo, al cruce de caminos,
adonde empiezan los caminos,
porque la luz canta con un rumor de agua, con un rumor de
follaje canta el agua
y el alba está cargada de frutos, el día y la noche reconciliados
fluyen como un río manso,
el día y la noche se acarician largamente como un hombre y
una mujer enamorados,
como un solo río interminable bajo arcos de siglos fluyen las
estaciones y los hombres,
hacia, allá, al centro vivo del origen, más allá de fin y comienzo.

México, 1955

sleepers burst forth the red thorn of resurrection,
the water of the woman, the spring for drinking, seeing oneself,
   recognizing oneself, regaining oneself,
the spring of man's self-knowledge, water that speaks all alone
   in the night, calling us by our name,
the spring of the words for saying I, you, he, ourselves, under
   the great tree, the live statue of rain,
for saying the beautiful pronouns and recognizing ourselves and
   ringing true to our names,
we have to dream backward, toward the source, to row up the
   stream of the centuries,
beyond infancy, beyond the beginning, beyond the baptismal
   waters,
to tear down the walls between man and man, to join together
   anew that which was put asunder,
life and death are not worlds in opposition, we are one single
   stalk with twin flowers,
we have to dig up the lost word, to dream inward and as well to
   dream outward,
decipher the tattooing on the night, to look at noon face to face
   and tear away its mask,
to bathe in the light of the sun, to eat the fruit of night, to spell
   out the writing of star and river,
to remember what blood says, what tide says, earth and the body,
   to return to the starting-point,
not inner nor outer, not over nor under, to the crossroads, where
   the roads begin,
for light is singing with a rumor of water, with a rumor of green
   leaves water sings
and dawn is laden with fruit, day and night reconciled flow like
   a calm river,
day and night caress each other endlessly like a man and woman
   in love,
like an interminable river under the arches of the centuries flow
   seasons and people,
farther on, to the live center of the source, far beyond end and
   beginning.